講談社選書メチエ
597

権力の空間／空間の権力

個人と国家の〈あいだ〉を設計せよ

山本理顕

MÉTIER

目次

はじめに

住宅は私的空間である。私たちはその私的空間の中に住んでいる。その私的空間は家族だけの親密な空間である。誰であっても、たとえ公権力であったとしても、その親密な空間を侵すことはできない。その私的空間を私たちは「プライバシー」と呼んでいる。プライバシーとは自由である。私的空間の中の自由である。だから私たちはその自由のために膨大な金額を支払うのである。私たちの一生で手にする収益の大半をそのために費やす。その自由な空間は金銭によって購入されなくてはならないのである。その金銭を支払うことができない人は自由のための安定した空間を手に入れることができないのである。

自由は私的空間の中にある。そして、その外側はインフラ（ストラクチャー）という網の目で覆われた都市空間である。その網の目は公権力によってつくられる。そして不断に管理されている。公権力とは官僚制的権力である。そのインフラは端末まで緻密に計算された官僚機構によって管理されているのである。交通インフラであり、流通インフラであり、情報インフラであり、エネルギー・インフラである。治水、治山そして防災のためのインフラであり、防犯のためのインフラである。その他、その他、その他のインフラである。そしてすべての公共施設はこのインフラの端末である。インフラは常に増殖する。あるいは新たなインフラがつけ加えられる。そしてそのインフラは官僚機構による行政システムに則って慎重に切り分けられ、それぞれのインフラごとに分割統治されるのである。その分割統治された空間が公的空間である。

住宅は私的空間である。都市は官僚制的に統治された公的空間である。そしてその私的空間と公的空間とは厳密に区画されている。その区画された両者は、相互に他の一方を排斥するように働くのである。公的空間を管理するその管理機構は私的空間には関与しない。私的空間のその内部には介入しない。私的空間の自由は公権力によって極めて注意深く〝保護〟されているのである。一方の私的空間の自由は公的空間には何の影響をも与えない。自由は私的空間の中においてのみ自由なのである。つまり自由は私的空間の中に閉じ込められる。その自由を閉じ込めるように設計された空間が住宅という空間である。実際、プライバシー（privacy）とはもともと隔離され閉じ込められた状態を意味していたのである。

こうして官僚制的に配置され統制された空間を当然のように私たちは受け入れているのである。こうした隔離されたような住宅に住むことで私たちは十分に満足なのだろうか。このように官僚制的に統治された都市空間に住むことは快適なのだろうか。なぜ私たちはそれを受け入れるのか。それは建築空間のつくられ方と大きく関係しているのである。

その空間配置の内側に住んでいる私たちはそれが管理された空間であるということに気がつかない。現に空間の内側に住んでいる私たちからは、その空間が無意識化されるのである。なぜなら空間はただ機能的に配置されているに過ぎないと私たちは思っているからである。空間は機能的につくられているかと私たちが信じているからである。建築は機能的につくられる。機能的という意味は〈役に立つ〉という意味である。役に立つということは、私たちの要請に基づいて、その要請に忠実に応えるようにつくられるということである。建築は社会的要請に基づいてつくられる。その要請は必ず何らかの目的をもっている。その目的を実現するために建築という手段があるわけである。建築は目的のための手段である。その手段をつくる、それが建築家の役割である。目的の実現のための手段として、その要請に忠実に従うことがいかにも〝機能的〟であるかのように、今、考えられているのではないかと思う。その機能的につくられた建築空間に私たちが注意を払うことはない。

建築がこうした考え方によってつくられるようになったのはつい最近である。一九世紀後半あるいは二〇世紀に入ってからである。それまでの建築はそれ自身が目的だった。その外見（appearance）をいかに美しくするかということが目的だったのである。その外見の美の作法を〝様式〟と呼んだ。建築家は過去の建築様式に精通しそれを美の基準にしたのである。それは地域社会、周辺環境との関係において美しい建築だったのである。

その様式を否定して機能だと言った。様式という外見の美しさを否定して機能こそ重要だと言ったのである。過去の様式から解放された建築はその周辺環境との関係からも解放されたのである。周辺環境から自由になった。それが近代建築運動の始まりだった。二〇世紀の建築家たちはその発端から痛恨と言っていい過ちを犯したのである。

それがいかに決定的な過ちであったか、それを厳しく批判したのはハンナ・アレント（一九〇六―

七五年）である。機能的につくられる建築は、その建築によって建築家自らを抹殺し、そしてそのような建築によってつくられる社会は徹底的に均一化される。地域社会を破壊する。それがいかに危険なことか。でもその均一化された社会に生きるわれわれにはその危険の意味が分からない。

社会的要請に従って建築があるわけではない。社会的要請が建築として実現することによって、いかにもそれが社会的要請であるかのように見えるのである。建築として実現される（されてしまう）ことによって、いかにもその要請（命令）に客観性があるかのように見えるのである。その要請が仮に単なる私的な要請（命令）でしかなかったとしても、それが建築として実現してしまうと、その命令が社会的要請であるかのように見える。客観性があるかのように見えるのである。建築のこうした在り方をハンナ・アレントは〝物化（materialization）〟と言った。社会的要請（命令）が建築のような〝物〟になる。それが〝物化〟である。〝物化〟が要請（命令）の手段になることによって、「要請（命令）」と「その要請（命令）に従って（服従して）つくられる建築」との関係ができあがる。それこそがその社会的要請（命令）に客観性を与えるのだとアレントは言う。〝物化〟は支配の理論の根本なのである。

手段になってしまったその建築について、抹殺された建築家について、そして破壊された地域社会について、均一化された社会について話をしたいと思う。建築に即して話をしたいと思う。

建築空間は単なる手段ではない。単に社会的要請という命令に従ってつくられる空間ではない。そこに住む人々の意志、地域社会の人々の意志、それをつくろうとする者たちの意志によってつくられなければならないのである。

＊引用文中の〔　〕は引用者による補足を、「……」は引用者による省略を示す。

第一章

「閾《しきい》」という空間概念

1 "no man's land" とは何か?

謎の文章

ハンナ・アレントの著書『人間の条件』(一九五八年)に不思議な文章がある。公的領域と私的領域の関係について述べている部分である。不思議というよりも意味がよく分からない。謎の文章である。

都市にとって重要なのは、隠されたまま公的な重要性をもたないこの〔私的〕領域の内部ではなく、その外面の現われである。それは、家と家との境界線を通して、都市の領域に現われる。法とは、もともとこの境界線のことであった。そしてそれは、古代においては、依然として実際に一つの空間、つまり、私的なるものと公的なるものとの間にある一種の無人地帯であって、その両方の領域を守り、保護し、同時に双方を互いに分け隔てていた。(『人間の条件』九二頁)

前後の文脈が不明のままこの文章だけを取り上げるのはちょっと無理があるにしても、でも、それにしても何を言っているのか非常に分かりにくいと思う。「外面の現われ」、「家と家との境界線を通して、都市の領域に現われる」、「法とは境界線のことであった」とは一体どういう意味なのか。「境界線が一つの空間である」とはどういうことか。「私的なるものと公的なるものとの間にある無人地帯」というのは一体どういう場所なのか。

この記述は古代ギリシアの都市の町並みとそこに建つ家との関係について書かれた記述である。だからその町並みを思い浮かべられないと、この文章の意味を読み取ろうとしても非常に難しい。謎のような文章である。逆に言えば古代ギリシアの町並み、つまりポリスの町並みをイメージする、そのイメージと一緒に読むと実はかなり分かり易い文章なのである。謎は簡単に解ける。

ポリスは人工都市だった

ポリスの町並みというのは次のようなものである。

まず、家である。家の内側が私的領域である。つまりオイコスの領域である。ギリシア語のオイコスという言葉は、かつての日本の「家」に近い。家父長によって支配された、家族、奴隷、土地、家屋、財産一切を含んでオイコス＝家である。その家の町並みに対する〝外面の現われ〟が重要だというのである。つまり家の建築的な見え方である。町並みは家の連なりである。家は道に面して連なっている。その道に対する現われ方が重要だという意味である。つまり門構えである。家の内部よりもこの門構えが都市（ポリス）との関係においては重要だという意味である。家の前の道、つまり交通インフラを含めた都市空間はポリスに属する領域である。家（オイコス）という私的領域が都市（ポリス）という公的領域にこの〝門構え〟として現われる。実際「都市は完全に単一の組織であり、その中に閉鎖的で、自立的な場所があってはならなかった」（ベネーヴォロ『図説 都市の世界史1』六〇頁）。つまり、家は都市に対して自らを閉鎖してはならなかったのである。「国家は……私有地にも干渉した」（同頁）のである。つまり、門構えは家と都市との関係そのものであった。家と家は相互に接しあっていた。つまり壁を共有していたのである。家（オイコス）は独立した概念ではなくて、都市（ポリス）との関係であった。だから、「家と家との境界線」はつまりポリスとの関係なのである。その境界こそがポリスの生活にとって重要であった。その境界のことを〝ネメイン（nemein）〟という。ネメインとは、境界の意味であると同時に、配分する、（配分されたものを）所有する、住むという意味である。法を意味するギリシア語ノモス（nomos）の語源である（アレント『人間の条件』一二六頁、注）。境界を確定することはそこに住むことだった。それはポリスの一部になることであった。つまり境界は〝法〟そのものだったのである。「都市国家の法とは、まったく文字通り壁のこと」（同書、九三頁）だった。なぜ具体的な壁（ネメイン）が法（ノモス）だったのか。なぜそれが同時に「配分する、配分されたものを所有する」という意味を持っていたのか。それは多くのポリスが全く新たな場所につくられたということと密接に関わっている。実際、多くのポリスは植民都市だったのである。古代ギリシアでは、その特別な政治システムを守るために人口は常に抑制されていたのである。「ある一定の限界に達すると遠くに植民地を設けるために遠征隊が組織された」（ベネーヴォロ『図説 都市の世界史1』五七頁）という。つまりポリスは植民都市として設計された人工都市だったのである。都市計画とはインフラの計画である。道路や広場の配置パターンの計画である。そして、その道の両側に並ぶ家の配置計画である。入植者がやってくる前に都市は既に設計されていたのである。居住用地はあらかじめ配分されていた。そしてその所有の確定が法という概念の発端だったのである。配分された土地に住むことはそのままその配分のルール（法）に従うことであり、それが市民としての権利（公民権）を持つことだったのである。

では次に、この「無人地帯」というのは何か。ポリスの中に無人の荒野があって家と家とを分け隔てていたという意味ではもちろんない。

原文の英語表記は以下のようなものである。

> Not the interior of this realm, which remains hidden and of no public significance, but its exterior appearance is important for the city as well, and it appears in the realm of the city through the boundaries between one household and the other. The law originally was identified with this boundary line, which in ancient times was still actually a space, a kind of no man’s land between the private and the public, sheltering and protecting both realms while, at the same time, separating them from each other.（Arendt, *The Human Condition*, p. 63）

「無人地帯」は“no man’s land”の直訳である。でも、“no man’s land”は「無人地帯」ではない。「無人地帯」と訳してしまうと、アレントが伝えたい意味を理解することはほとんど不可能である。それは「どちらにも属さない場所」あるいは「どちらともつかない曖昧な場所」という意味である。つまり公的領域と私的領域の中間にあって、その二つの領域の関係を「守り、保護し」そして「同時に双方を互いに分け隔てていた」場所が“no man’s land”である。空間そのものが境界なのである。と言ってもまだ意味が分かりにくいと思う。古代ギリシアの都市がどのようにつくられていたか、そして家がどのような建築としてつくられていたのか、それがイメージできないからである。

〝プライバシー〟とは隔離されるという意味である

ポリスの多くは植民都市だった。そしてその町並みは直交型平面計画（グリッド・プラン）だったのである。「それはときとしては土地やその他の特殊な要求に合わせるために変形されることもあった」（ベネーヴォロ『図説 都市の世界史1』一〇七頁）としても、すべての植民都市が基本的にこのグリッド・プランによって計画されたのである。植民都市の「都市景観は、図式的明瞭さ」（コストフ『建築全史』二五二頁）を持つ必要があったのである。都市は家の集まりである。そして、それぞれの家の平面構成（プラン）もまたこのグリッド・プランの都市と深く関係するように計画されていたのである。図1はオリュントス（前四三二年）の都市プランである。この都市のグリッドに対する住居のプランは次のようなものだった。「ギリシアの住宅は、メソポタミアのものと同じく、曲がり家形式で、祭壇や、貯水槽か井戸のある中庭のぐるりに建てられている。……各室の機能は、厳密には決まっていない。壁際に低い台のある部屋が、アンドロンと呼ばれる主食堂兼娯楽室である」（同書、二五〇頁）。アンドロンは食堂でありサロンであり議論をする場所であった。他の部屋がただの土間のような床仕上げであったのに対して、アンドロンの床には小石が敷き詰められていて他の部屋よりも遥かに美しく仕上げられていたのである。このアンドロンを中心とした空間が〝no man's land〟である。

どういう意味か。もう少し詳しく説明すると、古代ギリシアの家は男の利用する領域（アンドロニティス）と女が利用する領域（ギュナイコニティス）とに厳密に分けられていた（桜井万里子『古代ギリ

図1　右：ヒッポダモス方式の基盤都市拡張後のオリュントス（出典：ベネーヴォロ『図説 都市の世界史1』107頁）。左：オリュントスの拡張された3街区（出典：同書、109頁）。

シアの女たち』一四三頁)。その男の領域の中心がアンドロンなのである(図2)。そこで食べて飲んで議論をする。「プラトン『饗宴(シュンポシオン)』の舞台」(同書、一四五頁)である。シュンポシオンはシンポジウムの語源である。「『シュンポシオン』はアテナイ人にとって政治を語り、文化を醸成・伝達するための場として市民生活に不可欠であった」(同頁)。正確には、アテナイ人の男にとって、である。女たちは(接待業の奴隷を除いて)シュンポシオンに参加することはなかった。むしろそこから排除されていたのである。ポリスの正式な市民はオイコスの長つまり家父長だけである。アンドロンを含むアンドロニティス(男の領

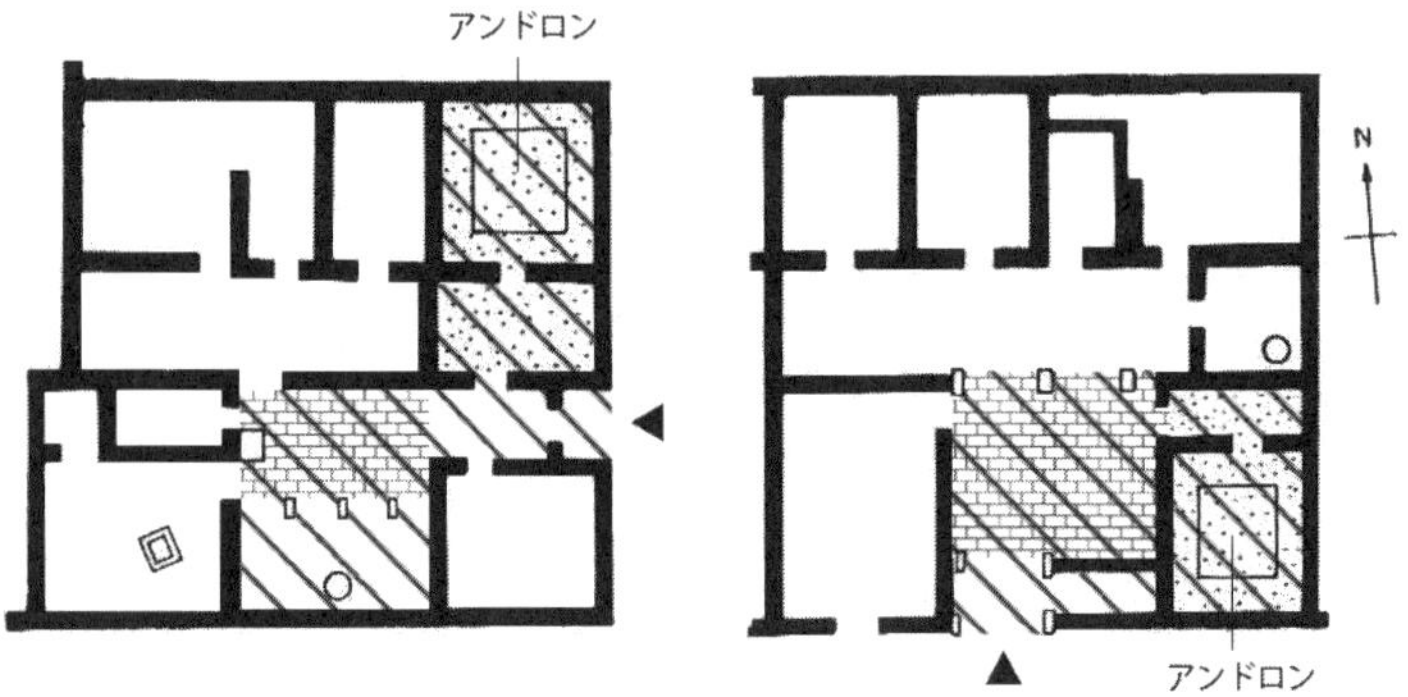

図２　オリュントスの２軒の標準住宅平面図。斜線部分がアンドロニティス（ベネーヴォロ『図説 都市の世界史１』108頁を元に著者が作成）。

域）はその家父長のための場所である。家父長がシュンポシオンのために他の市民を招き入れる場所である。つまり、道に対する家の門構えは単なる表層ではなくて、この「アンドロニティス」に繋がっているのである。どのような家でも門を入ると美しい中庭が広がっていた。「アンドロン」はその中庭に面してつくられる。その中庭を囲む空間全体が「アンドロニティス」という空間である（図３）。その空間がポリスに対して開かれている。そしてそれによって、「ギュナイコニティス」（女の領域）を最もプライバシーの高い場所として守る（隔離する）ことができるわけである。もともと、この〝プライバシー〟という概念は、囲い込まれ、隔離されている状態を意味していた。「ギュナイコニティス」（女の領域）の内側にいる人たちを囲い込んでいるわけである。逆にその内側から見れば「なにものかを奪われている（deprived）状態」（アレント『人間の条件』六〇頁）である。「私的（private）」という用語は『欠如している』privativeという観念」（同書、八七頁）を含んでいるのである。つまり、公的な領域に参加する自由を奪われているという意味である。それは奴隷の状態である。実際、今のわれわれの感覚で言う、いわゆる〃家事〃は奴隷の労働であった。来る日も来る日も家族の生命を維持するために、同じことを持続的に繰り返す家事労働、そして生命を生産するための生殖、そうした活動のことをアレントは「循環する生命過程」（同書、一五一頁）あるいは「人間の消費的生命過程」（同書、二六一頁）と呼んだ。人間の生命を維持するために必要な活動である。しかしそれは、日常生活の維持管理という意味では有益であったとしても、ポリスという公的領域にとっては全く価値がない活動と見なされていたのである。公的領域にとって価値のない活動が奴隷の労働である。それは公的領域からは見られない場所、隠されるべき場所（private な場所）における活動である。女の領域が私的な領域であるというときの〃私的〃とはそのように公的領域から隔離され、排除されているという意味で私的なのである。実際、その私的領域では「女と奴隷が同じカテゴリーに属し、一緒に生活していた……女たちは……内部生活の日常的な世話においては自分たちの奴隷と混じり合っていた」（同書、一三〇頁、注）のである。

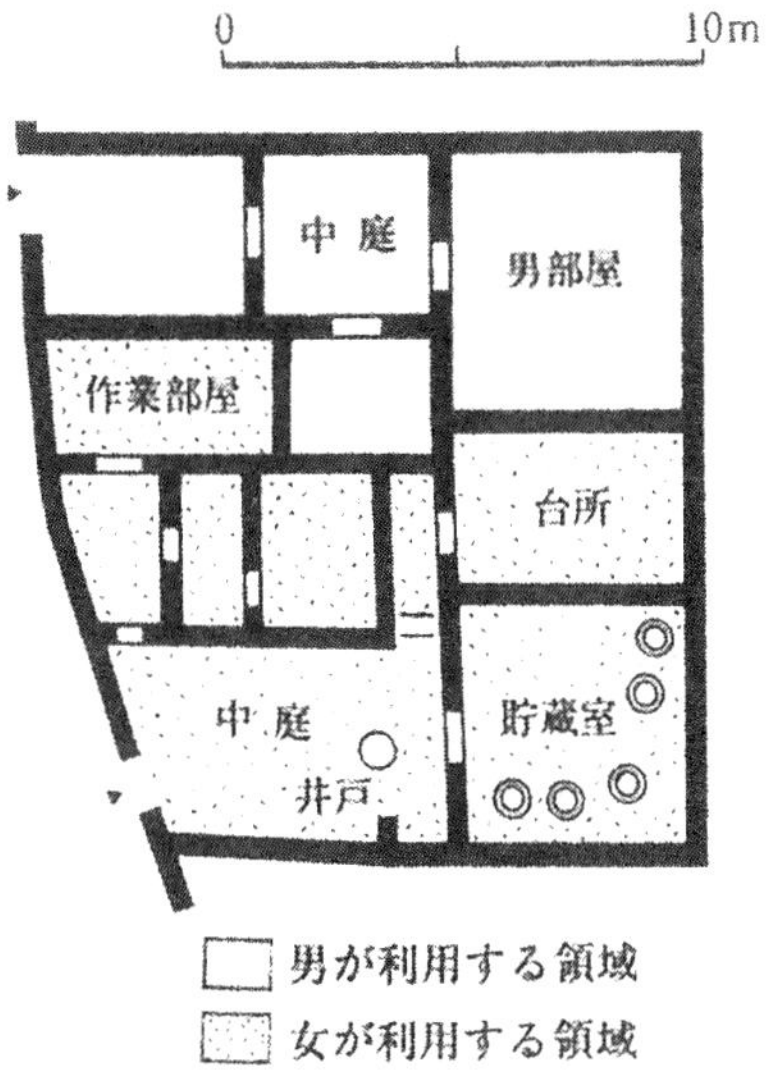

図３　アレイオス・パゴス北斜面の住居（出典：桜井万里子『古代ギリシアの女たち』147頁）。

その私的領域が〝プライバシー〟という意味の本質である。プライバシーのための領域とは、女と奴隷の領域であり、公的領域から隔離された領域という意味である。つまり「アンドロニティス」（男の領域）が、ポリスという公的領域と、私的な領域である「ギュナイコニティス」（女の領域）の間にあって、「その両方の領域を守り、保護し、同時に双方を互いに分け隔てていた」ということができる。「アンドロニティス」（男の領域）という空間が、ポリスの領域と「ギュナイコニティス」（女の領域・奴隷の領域）とを分けるための境界のような役割を果たしていたわけである。境界が「一つの空間」であったというのはそのような意味である。

〝no man's land〟とはそのような空間である。

ポリスという空間の特質

アレントのこの記述は、建築空間についての記述であると同時にそれがいかに人間集団の秩序や法や生活、あるいは都市を管理する政治的な仕組みと深く関わっていたかを示している。建築空間は政治的空間だった。その建築空間の極めて本質的な問題についての記述である。

この記述から分かるのは以下のようなことである。

(1)古代ギリシアの都市（ポリス）は家（オイコス）の集合体である。ポリスと家は相互に極めて密接な関係を持っていた。家という私的領域は独立してある存在ではなくて、「ポリス」という公的領域との関係においてあるということである。つまり、私的領域、公的領域は相互の関係において初めて成り立っていたということである。

(2)そしてその家はただ日常生活の維持管理のためだけにあるのではなくて、「女の領域」を「男の領域」から隔離して、「女の領域」を〝プライバシー〟の中に閉じ込めるような役割を果たしていた。ポリスの秩序を守るためである。つまり、家はポリスの政治的自由に参加できる人と、彼によって支配される人とを厳密に分け隔てるように設計されていたのである。

(3)さらにそれは都市に対する〝建築的現われ（appearance）〟を持っていた。

(4)さらに都市、家という人間の手によってつくられた建築空間（物質的空間）が、「法」という共同生活のための規範の根拠だったということである。「法」が先にあって、その「法」にもとづいて建築空間がつくられたわけではなくて、その逆である。

こうした都市や家、つまり建築空間についての認識は、今の私たちの認識とは全く違う。私たちの認識とは、近代という時代に固有の認識である。そしてその違いの中心にあるものこそが、〝no man's land〟というこの特別な空間に対する意識なのである。

2　ポリスの空間構造、そして「閾」という空間概念

「閾」は結びつけると同時に分け隔てる

実は、この〝no man's land〟のような空間は古代ギリシアにのみ固有の空間ではない。居住空間、都市空間について考える時の、普遍的な空間概念なのである。私たちはこの〝no man's land〟のよう

な空間を「閾《しきい》」と呼んでいる（「閾」は敷居である。空間的な広がりをもった敷居という意味である）。「閾」とは二つの異なる領域の間にあって、その相互の関係を結びつけ、あるいは切り離すための空間である。都市という公的領域と家族という私的領域の中間にあって、その二つの領域を相互に結びつけ、あるいは切り離すための建築的な装置が「閾」である。それを概念的に図示すると左図のような図式になる（図4）。

二つの異なった領域、公的領域と私的領域の中間にある空間が「閾」である（拙著『新編 住居論』二六四頁）。

極めて建築的な概念である。「閾」はそこに住む人たちを〝結びつけると同時に分け隔てる〟ための建築的装置である。この図式は空間図式であると同時にそこでの人間の生活の仕方を示す概念図式である。

古代ギリシアの「アンドロニティス」（男の領域）が「閾」である。そして、その奥にある「ギュナイコニティス」（女の領域）が私的生活領域である。「閾」はポリスという公的領域に直接的に開かれている空間である。その「閾」によって公的領域から切り離され隔離されている空間が私生活の場所である。女と奴隷の場所である。

注意が必要だと思われるのは、この「閾」が家（オイコス）の内側に含まれる空間だということである。ポリスと家（オイコス）の中間にポリスにも家にも属さない、「閾」という特別な領域があるのではなくて、「閾」を含んで家（オイコス）なのである。私的に占有されている家という領域の中に「閾」という公的な領域がある、という関係がひょっとしたら理解しにくいのではないかと思う。

同時にそれは具体的な建築空間の問題であるということである。

この「閾」という建築空間を単に家の内側の機能として見ようとすると、つまり「閾」を一つの部屋として機能的に解釈しようとすると「各室の機能は、厳密には決まっていない。壁際に低い台のある部屋が、アンドロンと呼ばれる主食堂兼娯楽室である」というスピロ・コストフの解釈のように、単なる多目的ルーム、もしくは接客のための部屋であるかのように見えてしまう。あるいは「男の領域」、「女の領域」という空間の相互隔離は、家の内部での男と女の問題として、性差による差別という解釈に回収されてしまうのではないかと思う。それは「家」、今われわれが住んでいる「住宅」までをも含めて、それを徹底して私的領域であると私たちが思い込んでいるからである。家という建築空間の問題はその内部の問題であると私たちは思っている。近代の建築家たちはそう思ってきた。そのような前提に立っている限

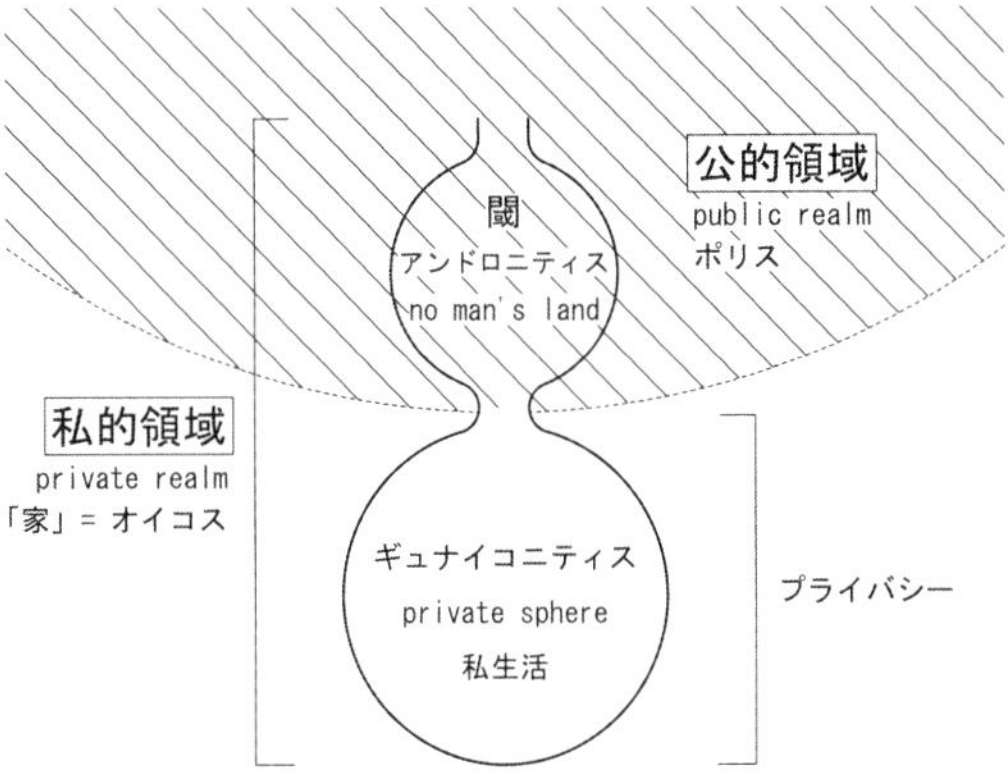

図４　閾の概念図（著者作成）。「閾」はprivate realm（私的領域）に含まれる空間である。public realm（公的領域）に対して開かれた空間である。「閾」は私的領域の内側にあって、それでもなお公的領域に属する空間である。それをアレントは“no man’s land”と呼んだ。「閾」を含まないプライバシーのための空間は“private sphere”である。古代ギリシアでは奴隷と女の領域であった。「循環する生命過程」のための場所である。

り、それはその外側の問題、都市との関係の問題には決してつながっていかない。「家」という建築空間は「閾」を含んで「家」なのである。「家」という私的領域の中に「閾」という公的領域が含まれているのである。単に私的領域の内側だけの問題ではない。私的領域の問題はその内側だけの問題ではなく、公的領域との関係なのである。

さらにそれは具体的な建築空間の問題なのである。

ポリスは人びとが平等であるように設計されていた

アレントの文章に戻ると、家はその外面に現われる。「都市にとって重要なのは、隠されたまま公的な重要性をもたないこの領域の内部ではなく、その外面の現われ（exterior appearance）である。それは、家と家との境界線を通して、都市の領域に現われる」のである。家は建築空間として都市の領域に現われる。どういう意味かというと、壁や門構えやアンドロニティスとして具体的に都市空間に現われる。その建築的な現われ（exterior appearance）がポリスという都市空間をつくっているのである。さらにその「建築的な現われ」は、古代ギリシア人にとって、そこでの生活を秩序立てるための最も重要な手がかりであった。市民の平等と政治的自由を実現するための手がかりである。

> 人は自然において平等ではなかった。そこで人為的な制度たる法すなわち法律（ノモス）によって人びとを平等にする都市国家を必要としたのであった。平等は、人びとが互いに私人としてではなく市民として会うこの特殊に政治的な領域にのみ存在した。……ギリシアの都市国家の平

等、すなわちイソノミアは都市国家の属性であって、人間の属性ではなかった。……〔平等は〕法律（ノモス）であった。すなわち約束ごとであり、人工的なものであり、人間の努力の産物であり、人工的世界の属性なのであった。（アレント『革命について』四一頁）

〝ノモス〟に先だって〝ネメイン〟があった。都市国家（ポリス）は人々が平等であるように設計されていたのである。平等は生まれ持った人間の権利ではなかった。都市国家によってつくられたのである。〝ネメイン〟とは人工的につくられた壁や境界である。「人工的世界」である。それは人間の手によってつくられた建築空間であり、都市空間そのものであった。それではその都市空間はどのように設計されていたのか。

既に述べたようにポリスは人工都市だった。最初から人工的に計画された空間だったのである。「すでに在る居住地から普通に成長してでき上がったものではな」く、それは「平地の上に一挙に建てられた」のである（コストフ『建築全史』二五二頁）。だからそれは「図式的明瞭さをもち、ただちに慣れることができるものでなければならなかった」（同頁）。そのためのプランがグリッド・プランだったのである。「ギリシア植民市の性格を考えるうえで見落してならないことは、それが母市の出先の町というのではなくて、たとい小さくとも、初めから独立のポリスとして建設された、という点である」（伊藤貞夫『古代ギリシアの歴史』一三〇頁）。独立のポリスとしての都市空間、建築空間が入植者のために設計されたのである。そのグリッド・プランの考案者はミレトス出身のヒッポダモスだと言われている。「帯状構成計画（グリッド・プラン）については、ギリシア幾何学の発祥地である小アジアのエーゲ海岸にそったイオニア諸都市に、とりわけミレトスに、大きな名誉を与えなければならない」(コストフ『建築全史』二五三頁)。「街路によって整然と区画されている」ような「新式のやり方」はヒッポダモスによって工夫された、と言ったのはアリストテレスである(『政治学』三三六頁)。「BC5世紀までの都市はアテナイのように村落から自然に発達したために路線は不秩序、城壁は不整形」であった(小林文次ほか『西洋建築史』八〇頁)。地形に従うような配置計画だったのである。

図5は前五世紀ペルシア戦役後そのヒッポダモスによって設計されたミレトスの都市計画である。このミレトスの計画以降、グリッド・プランはヒッポダモス方式と呼ばれるようになる。

でもグリッド・プランそのものは必ずしもヒッポダモスの発明によるわけではない。それは既に「メソポタミアで見られた古代の型であった」(マンフォード『歴史の都市 明日の都市』二〇〇頁)。イオニアの諸都市はヒッポダモス以前に既にそうした「古代の型」の影響を受けていたというのがマンフォードの見解である。確かにグリッド・プランは古代エジプトにもメソポタミアにも既にあった。過去にグリッド・プランの例はいくつもあったのである。ヒッポダモスの功績はグリッド・プランの発明ではなく、それが新しい植民都市のための「新式のやり方」として大きな可能性がある、ということを発見したことにある。グリッド・プランをポリス(植民都市)の計画理念として再発見したのである。ポリスの計画理念は〝平等〟であった。「格子状の区画——住宅の要求からきめられたもので、神殿や宮殿の例外的要求からではなかった——を堅持することによって、都市の体系の統一や全地区の平等、また公的な権力によって与えられた一般規則にもとづく私有地の平等が確認されたのであった」(ベネーヴォロ『図説 都市の世界史1』一〇九頁)。グリッド・プランは「平等主義を計画する工夫」（コストフ『建築全史』二五二頁）なのであった。なぜグリッド・プランが〝平等〟に結びつくのか。全ての家にとってその面する道（交通インフラ）との関係がそれぞれ同じ条件になるからである。平行配置される道に沿った計画では（例えば放射状道路の都市のような求心的配置計画などに対して）家相互の序列が生まれにくい。そこに並ぶそれぞれの家が同じ条件になるためにはグリッド・プランは極めて適切なプランニングなのである。

ポリスの家は相互に平等でなくてはならなかった。「ポリスの創設に先立って部族や種族のような血縁にもとづいて組織された単位が、ことごとく解体した」（アレント『人間の条件』四五―四六頁）のは当然だった。ポリスに住む全ての人々がそれまで住んでいた共同体を離れて、このグリッド・プランの植民都市に移住したのである。ヒッポダモスはこのグリッド・プランが市民の平等という政治的理念に貢献することに気がついたのである。入植者たちはそこに新しい家を持つことによってポリスの市民になるのである。家の配置計画そ

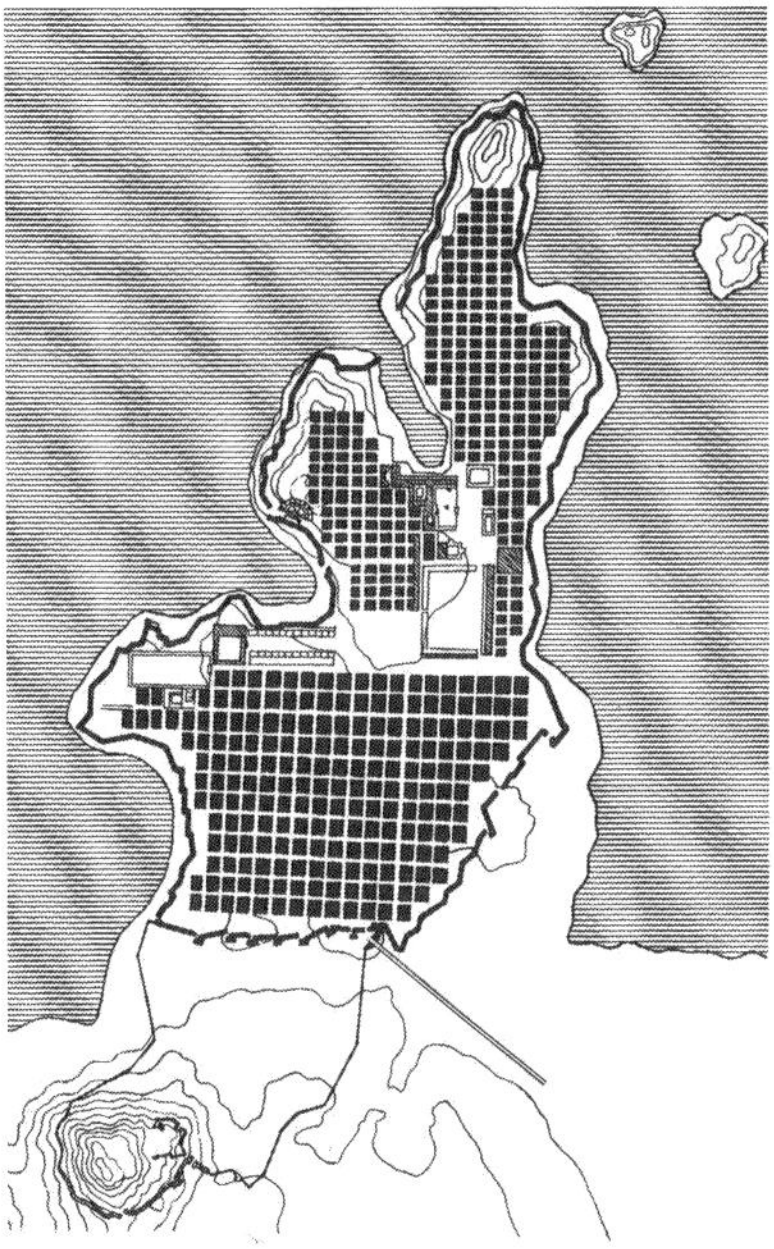

図５　前5世紀ペルシア戦役後ヒッポダモスにより計画されたミレトス（出典：ベネーヴォロ『図説 都市の世界史１』110頁）。

のものが移住者たちの平等を保証しなければならなかった。さらに自由を保証しなければならなかったのである。

グリッド・プランの道はアゴラに通じている。アゴラは公共広場である。ストアによって囲まれていた（図6）。ストアとは列柱が並び屋根のかかった回廊である。三方をストアによって囲まれたアゴラの形式もまたヒッポダモスのアイデアである（マンフォード『歴史の都市 明日の都市』二〇〇頁）。このストアによって囲まれることでアゴラは自由を象徴する特別な場所として、より「形式的かつモニュメンタル」（コストフ『建築全史』二五六頁）な空間になったのである。ストアでは「法廷（あるいは民会）が公に開廷され、公的宴会が催され、公示がなされた。……ゼノンの哲学はストア派と呼ばれるが、その名は、彼の議論がストアでなされたことに由来する」（同頁）。ストアで囲まれたアゴラは自由に議論する広場であった。市民はアゴラで議論し、ストアで聴衆に訴えたのである。そして、ストアは商人たちが店を広げる場所でもあった。「自由人の生活は他人の存在を必要としたのである。したがって自由そのものには、人びとの集まる場所すなわち集会所、市場（market-place）、都市国家（ポリス）など固有の政治的空間が必要であった」（アレント『革命について』四二頁）。ポリスは平等と自由が実現されるように建築的に設計されていたのである。「都市国家（ポリス）の平等は、……ポリスの属性であって、人間の属性ではなかった。……人工的なものであり、人間の努力の産物であり、人工的世界の属性なのであった」とアレントが言うのはそのように空間的に設計されていたという意味である。平等と自由は都市空間、建築空間として設計されたのである。人々はグリッド・プランの都市に住み、ストアによって囲まれたアゴラで聴衆に訴え、「閾」のある家に住むことによって

1　劇場
2　ヘロオン（記念墓）
3－4　獅子の像
5　ローマ公共浴場
6　港の小記念碑
7　ユダヤ教会
8　港の大記念碑
9　港の柱廊
10　デルフィニオン（アポロン神域）
11　港の門
12　港の市場
13　北のアゴラ
14　イオニア式の柱廊
15　凱旋道路
16　カピトー（紀元1世紀のローマ人の総督）の公共浴場
17　体育場
18　アスクレピオスの神殿
19　皇帝崇拝の聖域か？
20　ブーレウテーリオン
21　ニンフの神殿
22　北の門
23　紀元5世紀のキリスト教会
24　南のアゴラ
25　倉庫
26　ローマのヘロオン（記念墓）
27　セラピス神殿
28　ファウスティーナの公共浴場

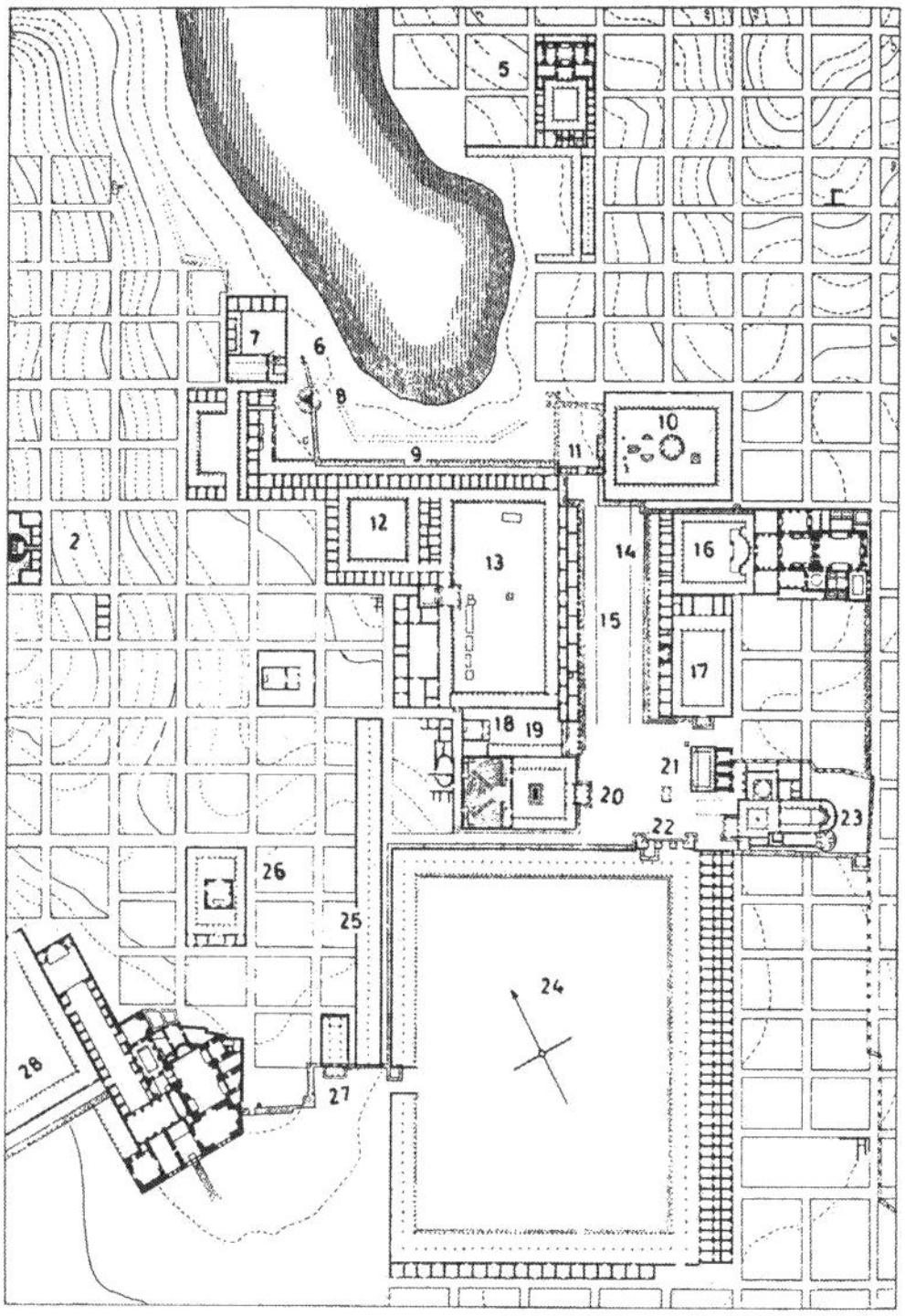

図6　ミレトス中心部（出典：ベネーヴォロ『図説 都市の世界史1』111頁)。厳密なグリッド・プラン。ストアによって囲まれたアゴラ。

平等と自由という作法を身につけたのである。つまり市民としての作法（citizenship）を身につけたのである。

　このグリッド状の都市プランと家との関係を示すと以下のような図式になる（図7）。グリッド状の道はアゴラに通じる公共の場所である。市民が自由に通行する場所である。この道に対して家は建築としての〝外面の現われ〟を持ち、そしてアンドロンを含むアンドロニティス（「閾」）はこの道に対して開かれてい

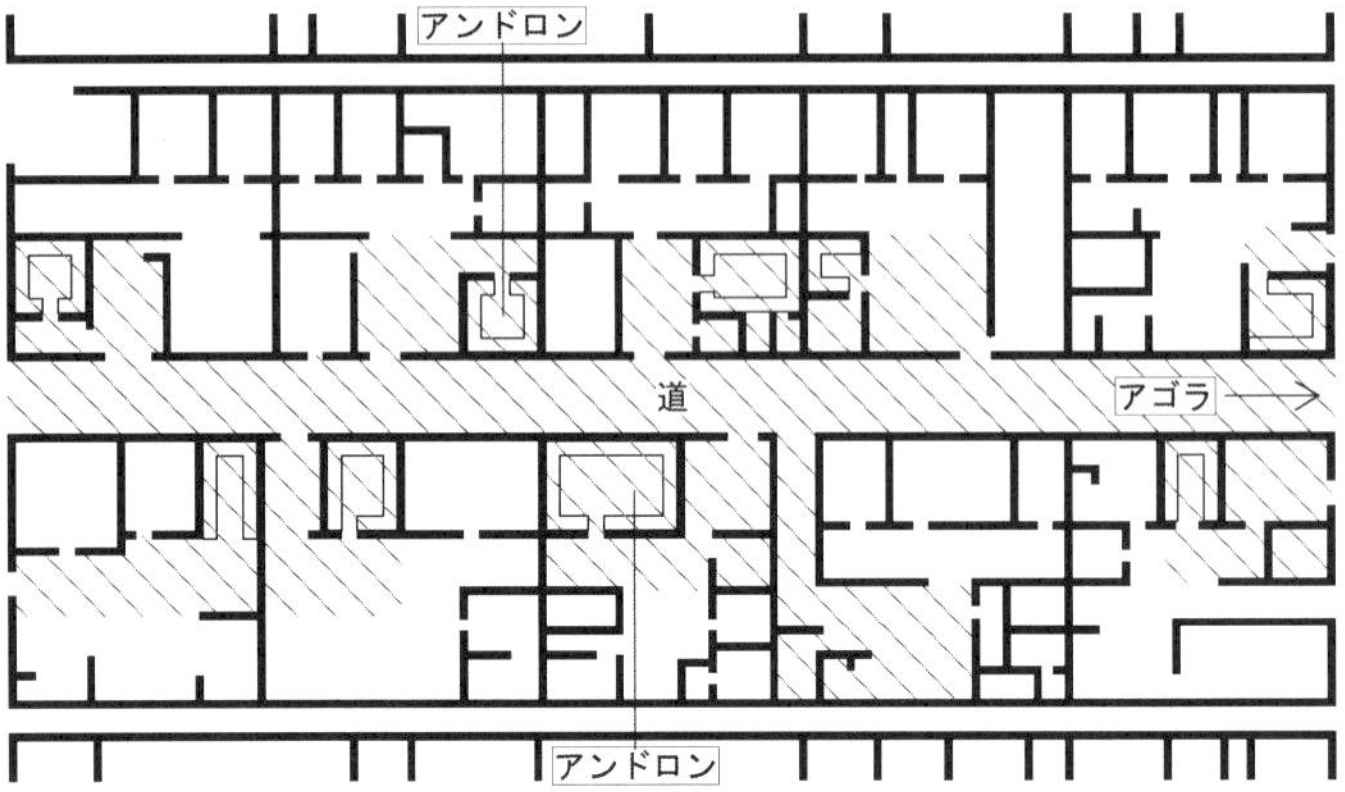

図７　道に対して開かれたアンドロニティス（著者作成）。公的領域である道路に連続したアンドロニティスもまた公的領域なのである。家（オイコス）という私的領域の中に公的領域がある。家はポリスの一部だった。ポリスは単なる孤立した家の集合ではなかったのである。だからこそ家の集合がポリスという政治的空間をつくることができたのである（斜線部分が公的領域）。

たのである。アンドロンはシュンポシオンのための場所であった。自由に議論をするための場所である。アンドロニティスは“no man's land”である。「閾」である。家という私的領域の内側にあって、公的領域に接続される場所である。アンドロニティスは公的領域（ポリス）の一部なのである。古代ギリシアの人々にとって自由とは公的領域に入ることができる自由であった。そしてそれが政治に参加する自由だったのである。「政治に参加する自由」それが自由という言葉の本質である。「自由は、ギリシアの都市国家〔植民都市〕の出現と時を同じくして生まれた」（同書、四〇頁）とアレントが言うのはそのような意味である。自由であるように設計されたポリスという空間のなかで自由だったのである。ポリスにおいては平等であることが同時に自由であることだった。「トックヴィルの洞察にしたがってわれわれがしばしば自由にたいする脅威だと考えている平等は、もともと、自由とほとんど同じものなのであった」（同頁）。それはこのグリッド・プランの都市構造と「閾」という空間をもつ家の建築的構造によって保証されていたのである。

「政治現象としての自由は、ギリシアの都市国家の出現と時を同じくして生まれた。……それは、市民が支配者と被支配者に分化せず、無支配（no-rule）関係のもとに集団生活を送っているような政治組織の一形態を意味していた。この無支配という観念はイソノミアという言葉によって表現された。古代人たちがのべているところによると、いろいろな統治形態のなかでこのイソノミアの顕著な性格は支配の観念……がそれにまったく欠けている点にあった。都市国家は民主政ではなくイソノミアであると思われていた」（同頁）のである。つまりイソノミアはこの都市構造そのものだったのである。

「イソノミアは都市国家の属性であって、人間の属性ではなかった」（同書、四一頁）とアレントが述べるのはそのような意味である。この都市国家のグリッド・プラン、そしてそのグリッド・プランに深く関わるように設計された家やアゴラの建築計画がイソノミアを保証していたのである。こうした具体的な建築計画が政治的自由と深く関係していることを古代ギリシアの人びとは良く理解していたのである。アレントが強調するのは、そうした感性が近代社会に住む私たちにいかに欠けているか、ということである。

つまり、アレントの指摘が重要なのは、ポリスという建築空間があってはじめて人々の政治的自由そして平等が実現されるのであってその逆ではない、ということである。ポリスは自由と平等が実現されるように建築的に計画されていたのである。政治的自由と平等は建築的に計画され設計されなくてはならないものだったのである。

今、私たちの「社会」の中では建築空間はその政治的な重要性を全くと言っていいほど失ってしまっている。都市空間の構造や建築空間の構造が政治的自由という思想の原因だった、というアレントの指摘を今の私たちが理解することは極めて困難である。建築空間は、私たちにとっては単なる機能でしかないからである。都市や建築は〝機能的であれ〟という社会的要請のその単なる結果であるにすぎないと私たちが思い込んでいるからである。こうした考え方が近代社会に住む私たちに固有の考え方なのである。実際にはその政治性を失っているわけではない。私たちの住む都市空間、建築空間は政治的自由をむしろ制約するように働いているのである。ポリスとは逆方向の政治性である。ところが「近代社会」の内側にいる私たちは、その政治性を認識することができない。後述することになるが、建築空間を「機能」としてしか見ようとしないからである。それが実は、今、私たちが住んでいる「近代社会」の最大の特徴なのである。

だから、このアレントの冒頭の文章は、私たちにとって理解することが二重の意味で難しいのである。二重というのは、一つは、アレントが〝no man's land〟としか言いようがなかった空間、つまり「閾」という公的領域が家の内部にあるということ。それは、家が単なる私的領域ではないということを意味している。もう一つは、建築空間は政治性とは全く無関係な、単なる機能だと私たちが思いこんでいること。この二つである。家は単なるプライバシーのための空間ではなくて、政治的自由と深く関わる場所であった。建築が私的生活のための機能としてではなくて、政治的空間として設計されていたということを理解するのが難しいのである。

今の私たちの時代に固有の都市空間、建築空間に対する見方は古代ギリシアの人々の見方とは正反対と言っていいほど違う。その違いの中心は建築と都市との関係である。アレントが正確に指摘しているように「都市にとって重要なのは、隠されたまま公的な重要性をもたないこの〔私的〕領域の内部ではなく、その外面の現われ」（『人間の条件』九二頁）なのである。〃外面の現われ〃とは一つの建築が都市環境に対してどのように現われるか、その現われ方である。都市との直接的な関係のことである。〃外面の現われ〃は都市との関係によって設計される以外にない。ところが、今、その〃外面の現われ〃については、私たち建築家は設計の理論を何ひとつ持ちあわせていないのである。都市との関係の理論がない。〃外面の現われ〃は〔私的生活のための〕機能という内部の都合によって決定されるプロセスのその単なる結果でしかない、と私たちは思っているのである。近代建築運動は〃外面の現われ〃についてはなに一つ新しい理論をつくらなかった。近代建築運動は都市と建築の関係を一つの理論としてつくることに失敗したのである。それは、建築の〃外面の現われ〃が公的な問題ではなく単なる私的な趣味の問題になったということを意味している。

3 集落調査 I——外面の現われ（appearance）

集落は地形と一体になってある

集落調査に参加した。「集落調査」というのは東京大学生産技術研究所の原広司《ひろし》研究室で一九七二年から持続的に行われてきた世界各地の都市や集落そしてその住宅を調査するフィールド・ワークのことである。地中海周辺、中南米、東欧、中近東、インド、ネパール、アフリカなどを巡り、その後その集落調査は藤井明研究室に引き継がれて、合計すると、四〇年間に五〇ヵ国を訪れ、五〇〇以上の集落を調査した。多分、これだけの調査数は世界でも前例がないと思う。

どのような調査をするかというと、四輪駆動車二台に分乗できる程度の人員でとにかく車を走らせる。走りながら見つける。その地域の中で特徴的な集落を見つけて、できるだけ多くのサンプルを集めるのである。走りながら見つけるといっても、実はかなり有効な決め手がある。地形である。つまり、海辺や河岸や湖沼や崖や谷である。その地形と共に集落を見るのである。美しい集落はそうした地形が際立つところに、その地形と一体になってある。

家の集合としての集落、あるいはそれを構成する個々の家の形はその自然環境と極めて深く関係している、ということは多くの人の共通認識だと思う。熱帯雨林なのか、サバンナなのか、乾燥地帯なのか、温暖な環境なのか、そうした自然環境によって集落のつくられ方は変わる。そう考えられている。確かにある程度は当たっている。でも、同じ自然環境の中にあるにもかかわらず、その集落の形や家の形が全く違う、などという例はいくらでもある。自然環境の影響はそのまま具体的な家の形やその集合としての集落の形に結びつかないのである。熱帯雨林なのかサバンナなのか、暑い地域か寒い地域か、そうした地球規模の大きな環境の差異ではなくて、むしろ、それ以上にその場所に固有の小さな環境、つまり森や農地や川や谷のような地形、その近傍で取得できる建築素材のような要素がその集落の形に深く関係しているのである。

景観は設計されている

集落は地形が際立つようなところにその地形と共につくられる。

・〝ムザッブの谷〟はサハラ砂漠の中を流れる川によってつくられた巨大な渓谷である。川といっても普段は水は流れていない。一定の周期で大増水するのである。その渓谷の谷底に七つの丘が点在している。その丘の頂にあるミナレットを中心にして、高密度住居群がつくられているのである。丘がそのまま一つの都市である。サハラ砂漠から見下ろすと、つまり渓谷の上から見下ろすと、その丘の全貌が見える。ナツメヤシが生い茂るオアシスと一体になって、まるで地形ごと計画されたかのように見えるのである（図8）。

・ティグリス川、ユーフラテス川が合流するチバイッシュ周辺は広大な沼沢地帯である。そこに人工的な島をつくって、その島の上に家をつくる。家はその沼沢地域のどこにでも群生している葦でつくられている。葦を柱状に束ねてそれでヴォールト状の小屋組をつくり、そしてその上に同じ葦で屋根を葺くのである。一つの島に一つの家族が住んでいる（図9）。いくつもの家族島が一定の間隔で点在している。大きな声を出せば届くほどの間隔である。

・なかば廃墟のようになったロマネスク教会が丘の中腹にある。そこから一直線に続く参道のその下

図8　ガルダイア（アルジェリア）（東京大学生産技術研究所原研究室撮影）。水平線の位置がサハラ砂漠。広い渓谷の中にある丘がそのままひとつの都市である。

に町がある。今でもその廃墟の教会はその町のシンボルである。その教会を中心にして町が構成されているのである。軸線状に並んだ家並みが美しい。どの家も窓辺に花を飾っている。彼らの主要産業であるオレンジ畑が町を囲んでいる（図10）。

・下の港から一〇〇メートル（多分）も上に町がある。港に着いた人も物も延々と一〇〇メートルも上まで登らなくてはならないのである。ロバが最も有効な交通インフラである。断崖絶壁の上につくられた町である。その町を海から見ると、特徴的な地形が白い住居群によってより強調されている。その住居群によってつくられた白いエッジが、われわれはここに住んでいる、というメッセージのように見えるのである。そして上の町から見下ろすエーゲ海は、夢のように美しい。港から一〇〇メートルも登ら

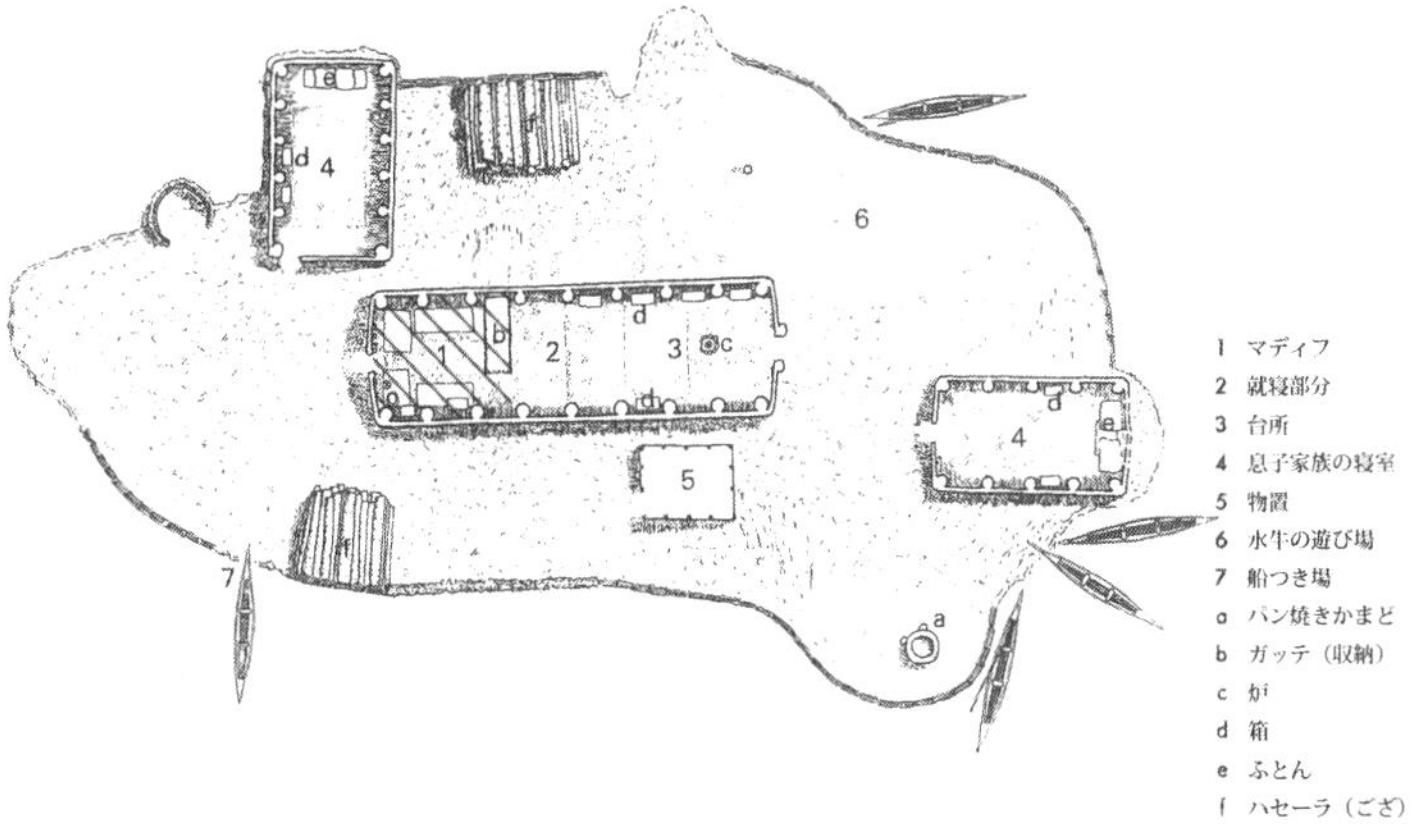

図9　上：チバイッシュ（イラク）（東京大学生産技術研究所原研究室撮影）。下：チバイッシュ平面図（出典：東京大学生産技術研究所原研究室編『住居集合論II』145頁）。人工島には決められた船着場がある。その正面にマディフがある（斜線部分が「閾」）。

図10　ペトレス（スペイン）（東京大学生産技術研究所原研究室撮影）。シンボリックな教会の位置。

図11　サントリーニ（ギリシア）（東京大学生産技術研究所原研究室撮影）。下の港から上の町までは100メートル近くも登らなくてはならない。

なくてはならないという過酷な場所でも、それでも、この夕日の景観が見たくて彼らはここに住み始めたに違いない、そう思わせるほどの景観なのである（図11）。

・カトマンズ盆地の北西の緩傾斜、等高線に沿って家が並んでいる。木造、日干し煉瓦と漆喰の壁、平入の屋根が道に沿って並んでいる穏やかな風景がとても美しい。村の中央に石積みの水場があって絶えず清水が流れている。南側の小高い部分には何本もの大きな樹木に囲われてマンディール（ヒンドゥー教の祠）が奉られている。集落全体が一つの環境システムのように注意深く設計されている。その環境と共にある集落が美しいのである（図12）。

・日干し煉瓦でつくられた高層高密度住居群である。五～六階建ての一つのタワーが一つの家で

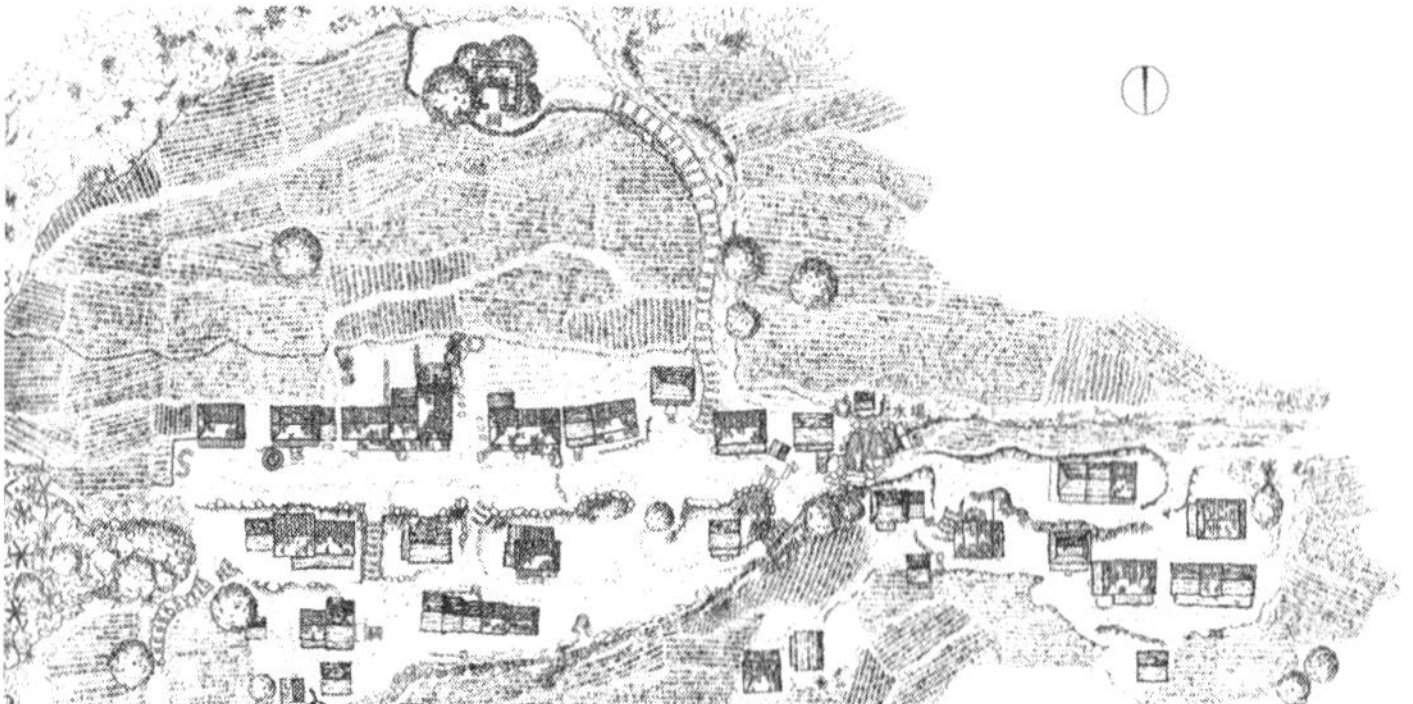

図12　上：ナカガオンナクサ（ネパール）（東京大学生産技術研究所原研究室撮影）。200戸程度がひとつのコミュニティ単位である。家の素材は全て近傍で採取されるものである。下：ナカガオンナクサ配置図（出典：『住居集合論Ⅱ』135頁）。マンディール、水場を中心にして街道状に配置された家。

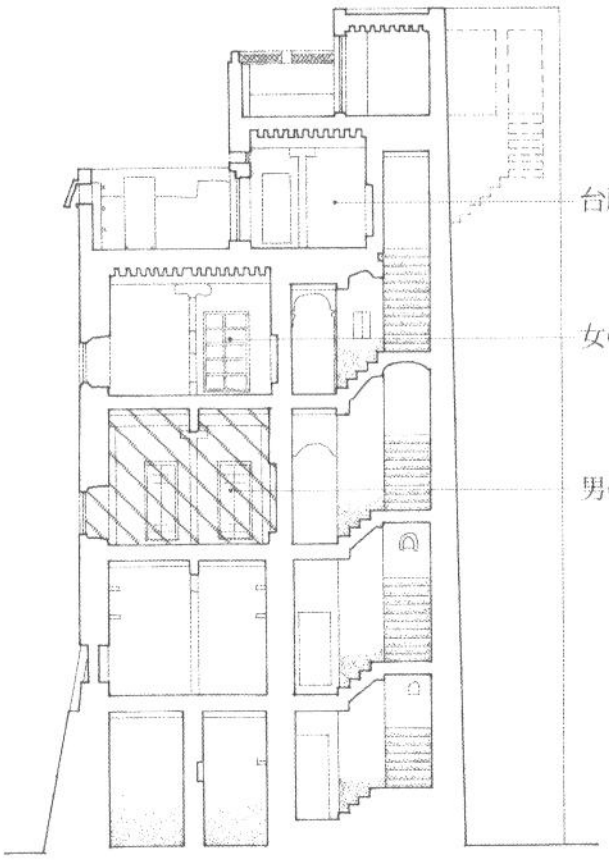

図13　上：シバーム（イエメン）（東京大学生産技術研究所原研究室撮影）。最上階が台所（かまど）である。下：シバームの住居の断面図。

ある。一階は家畜のための場所、中間階が接客の場所であり男の場所である。上階が女の場所、最上階が台所である。女たちはこの最上階まで谷から汲んできた水を毎日運び上げなくてはならないわけである。外敵からこの集落全体を守るためにこのような、機能的とは決して言えない形になった、というのは一つの説明だろう。でも、それ以上にその集落全体の外形（appearance）は見る者を圧倒するほどに壮観である（図13）。

・インド北部の多くの集落では村の中心部に農民のカーストが住んでいる。そして、その周辺部にもっぱらその農民にサービスする様々な職種の職人（ジャーティー）が住んでいる。農民の住む場所は中心に村長（パテル）の大きな家があって、その家を囲むように中庭を持ったそれぞれの家が並んでいる。村の中の道も家の中も強く固められた土の仕上げで、それが清潔に掃き清められている。

多くの集落、都市と呼んでもいいほど大きな集落もある。でも、すべてに言えるのはその形、つまり〝外面の現われ〟が際立っていることである。周辺環境と共に際立っている。むしろ、周辺環境を際立たせるようにそこにある。なぜこれほどまでに強い形、美しい造形力をもって見る者に迫るのか。

それはそこに住む人たちの意志である。その強い形はこの場所に住み続けるという非常に強い意志表明なのである。遥か遠い昔からここに住み続けてきた。そして、遥か先の未来までここに住み続ける。引き継がれてきた過去の記憶と共に住み続けるという意志である。共同体的な意志である。集落は一人一人の一生を超えて、それよりも遥かに長い時間そこに存在し続ける。その集落が、自分一人の一生よりも長くそこにあり続けるという確信こそが人々を結びつけ、だからこそ、共同体的記憶を伝達する役割を担うことができるのである。なぜこのように美しいのか。なぜこれ程までに強い造形なのか。その集落が彼らの〝共同体の記憶〟を過去から未来まで伝達するための記憶装置だからなのである。〝建築化された記憶装置〟である。

集落は一つの「世界」である

アレントは古代ギリシアのポリスについて次のように言う。「ポリスという組織は、物理的にはその周りを城壁で守られ、外形的にはその法律によって保証されているが、後続する世代がそれを見分けがつかないほど変えてしまわない限りは、一種の組織された記憶である」（『人間の条件』三一九頁）。その記憶を伝達するために〝外面の現われ〟は極めて重要だったのである。そしてその記憶の伝達のためにはポリスは人間の一生を遥かに超えていつまでもそこにあり続ける必要があった。実際、ポリスに住む人々によって、そのように信じられていたのである。アレントはそうしたポリスのような存在を「世界」と呼んだ。それは人間の手によってつくられた人工物による「世界」である。

それが耐久性をもち、相対的な永続性をもっているからこそ、人間はそこに現われ、そこから消えることができるのである。いいかえれば、世界は、そこに個人が現われる以前に存在し、彼がそこを去ったのちにも生き残る。人間の生と死はこのような世界を前提としているのである。

（同書、一五二頁）

パルテノン神殿やエレクテイオン神殿はアクロポリスの丘の上に建てられている。アテナイの街から見るとひときわ高い丘である。アテナイという都市国家（ポリス）の町並みはこの丘の高さ、そしてその町並みを囲む城壁と共にあったのである。「polisという言葉はもともと『輪状の壁』のようなものを意味していた」（同書、一二六頁、注）。アクロポリスの丘、そして、アテナイの町を囲む城壁は、訪れるすべての人たちを圧倒する威容だった。他のポリスからやってくる人びと、フェニキアやペルシアやあるいはもっと遥かに遠いところからアテナイを訪れる人たちに対してこの威容を誇ったのである。家がそれぞれ〝外面の現われ〟を持っている以上にポリスはさらに強い〝外面の現われ〟を持っていた。それは、ここに住むわれわれアテナイ人は他の場所に住む人たちとは圧倒的に違うという強いメッセージだったのである。集落調査の最初の原研究室メンバーであり、今も原研究室を引き継いで調査を続けている藤井明は「人は共同体の内部においては同質であることを強いられ、外部に対しては異質な存在であることを強要されている」（『集落が育てる設計図』九三頁）と言う。外部の人に対する異質性の表現、内部の人に対する同質性の表現が〝外面の現われ〟なのである。私たちが調査した、〝集落〟と呼んでいる共同体の〝外面の現われ〟は、それが一つの「世界」であることの〝表現〟だったのである。

・ムザッブの谷の七つの丘の景観。
・豊かな沼沢地帯に家族島が点在する光景。
・マンディールや石積みの水場、家の配列やその形式の同一性、そしてその美しい家並み。
・廃墟になった教会を中心にして配置された家々の集まり。

・日干し煉瓦でつくられた高層高密度住居群。
・村長（パテル）の大きな家があって、その家を囲むように中庭を持ったそれぞれの家が並んでいる。そして清潔に掃き清められた村の道。

そうした景観こそが彼らの集落の〝外面の現われ〟である。

この集落たちの美しい、そして他を圧する造形はそれが彼らの「世界」の外部に対する異質性の表現なのである。集落は一つの世界として設計されているのである。ポリスは一つの世界である。集落たちはそれぞれ一つの世界である。

4　集落調査Ⅱ――「閾」のある家

「閾」は二つの領域の間にある

「閾」はポリスという大きな共同体と家（オイコス）という小さな共同体の中間にあって、その両者の関係を調停する役割を負っている。ポリスという共同体の中に家（オイコス）という共同体が埋没してしまわないように、である。あるいは、ポリスが家の単なる集合でしかない、というような事態を避けるためである。実際、ポリス全体の秩序と家（オイコス）の内部の秩序はそれぞれ全く異なる秩序として厳密に区別されていたのである。

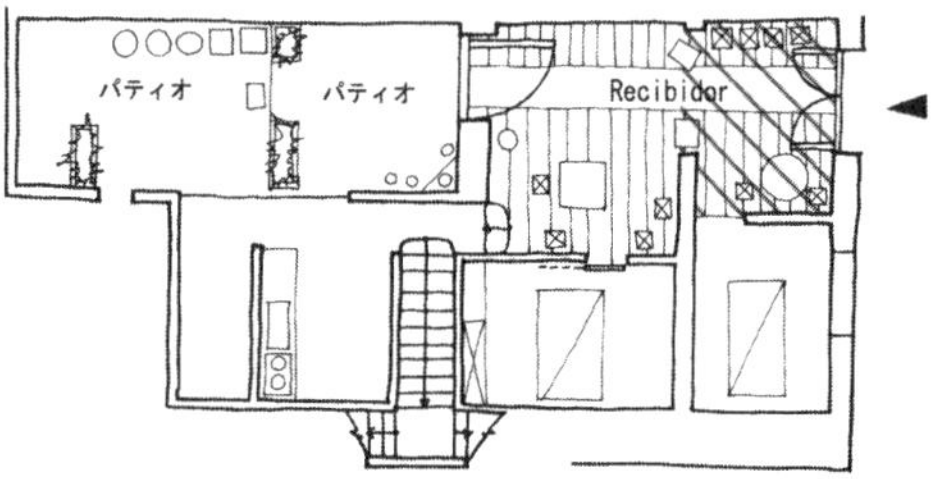

図14　ペトレス（出典：東京大学生産技術研究所原研究室編『住居集合論Ｉ』69頁）。

「公的領域と私的領域、ポリスの領域と家族の領域……これらそれぞれ二つのものの間の決定的な区別は、古代の政治思想がすべて自明の公理としていた区別である」（アレント『人間の条件』四九―五〇頁）。その両者を分けるための建築的工夫が「閾」である。「閾」は普遍概念であると述べた。それではその「閾」は建築空間としてそれぞれにどのような〝現われ〟を持っているのか。もし普遍概念であるとしたら、どのような家であったとしても、その〝現われ〟は違ったとしても、そこに古代ギリシアの「閾」と同じ構造を見ることができるはずである。

「閾」はどのような空間か

例えばスペイン、ペトレスという村の全体の〝現われ〟については既に述べた。廃墟のような教会を中心とした村である。村の街路に面して隙間なく家が並んでいる。その中の一つの家の平面図が図14である。どの家もほぼ似通った平面形である。特徴的なのは玄関部分とその玄関に繋がる部屋である。玄関はそれぞれに街路に面して美しく飾られている。つまりその玄関部分が、いかにも家の中に人を迎え入れるようなつくり方になっているのである。玄関に続く部屋は床のペーブメントも他の部屋と違って美しく仕上げられている。ホワイエのような部屋である。この場所をどのように呼ぶのか、改めて今私の事務所で一緒に仕事をしているスペイン人建築家に尋ねてみた。“recibidor”という。機能的に解釈するなら単なる“entrance hall”である。でも“recibidor”の本来の意味は“reciprocity”である。相互依存、相互に関係し合うという意味である。それは外から来る人をそこで受け止める場所であり、相互に関わり合う場所である。あるいはそこから先へは外から来る人を入れないようにするための場所である。このような空間はあらゆる集落で私たちが見てきた空間であると言って良い。勿論、呼び方は場所によって様々である。このスペインの集落のように“recibidor”と呼ばれたり、あるいは客間と呼ばれたり、あるいは古代ギリシアの家における「アンドロニティス」と全く同じように「男の場所」と呼ばれることもある。あるいは日本のかつての家だったら、玄関から式台に続く座敷のような場所である。

イラク、チバイッシュの家族島の家では、こうした来訪者を迎え入れるための場所は「マディフ(madhef)」と呼ばれている。「男の部屋」という意味である。その島に〝上陸〟した私たちは、儀礼に則って、マディフの中に設えられた囲炉裏端で、家父長からコーヒーの接待を受けた。女性はこうした接待の場所には決して参加しない。女性たちが使う囲炉裏は間仕切りされた奥の部屋にあって、その部屋はもっぱら日常生活のための炊事部屋である。「女の部屋」と呼ばれている。

ネパールのナカガオンナクサ。緩斜面を利用してひな壇式に美しく農地が切り開かれている。その等高線に沿うように家が並んで、小さな集落をつくっている風景については既に述べたが、ベランダのような入り口部分が極めて特徴的である。各住戸の床はどの家も道から一メートルほど高くなっていて、ベランダ状のその場所には男たちが座って、道行く人と話をしている（図15）。ベランダに座った人の眼の高さが、道に立つ人の眼の高さとちょうど同じになるように設計されているのである。

図15　ナカガオンナクサ（東京大学生産技術研究所原研究室撮影）。

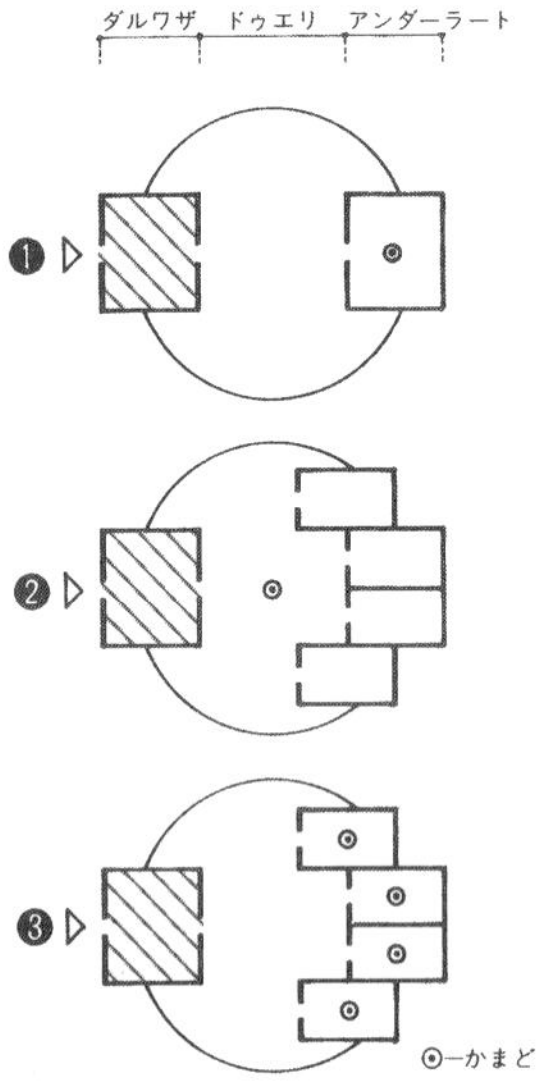

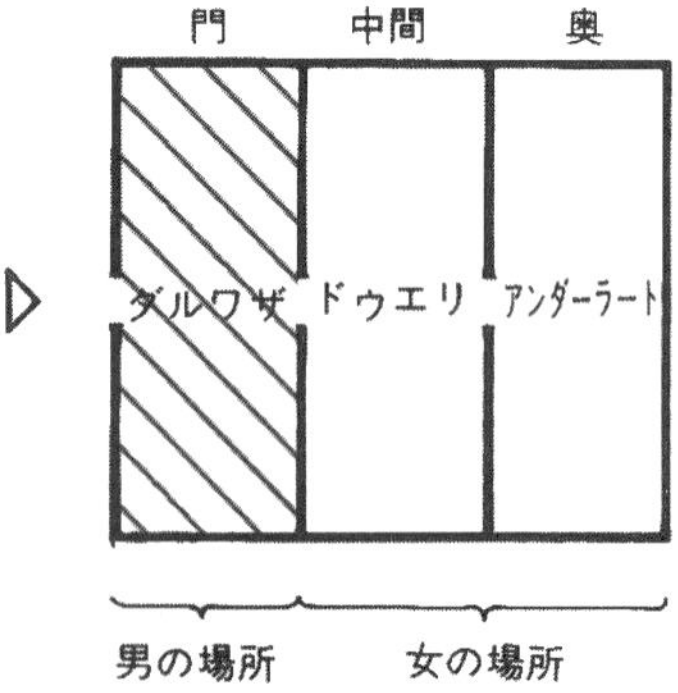

図16　右：三つの場所が並んだ図式（出典：『住居集合論Ⅱ』43頁（「閾論——②」））。左：かまどが複数になってもひとつの家である（出典：同書、45頁、山本理顕『新編 住居論』321頁）。

道に沿って同じ高さで連なるベランダが美しい集落の光景をつくっている。ベランダは“verandah”である。ヒンディー語である。植民地時代にイギリスに持ち込まれた言葉である。機能的には正にベランダだが、一方でこの場所は「男の場所」という意味をもっている。

ネパール、インドのヒンドゥー文化圏の家の平面構成は一定のルールをもって設計されている。道に直接的に面した場所が「ダルワザ」、その奥に「ドゥエリ」、さらにその奥に「アンダーラート」という順番で並んでいるのである（図16）。「ダルワザ」は門という意味である。ベランダのように開放的につくられる場合もあるし、一つの閉じた部屋のようにつくられる場合もある。外の人と相互に関わるための場所である。あるいは外から来る人を迎える場所である。「ドゥエリ」は中庭である。最も奥に配置される「アンダーラート」はかまどのある場所である。「ダルワザ」は〝男の場所〟、「アンダーラート」は〝女の場所〟という意味を持っている。かまどのある場所が〝女の場所〟である。因みに、それはインドに限らず入口から見て常に最深部にある。シバームの家の台所が最上階にあるのはそこが最深部だからである。インドの家族形態は「合同家族（joint family）」と呼ばれる。家父長と何人かの妻、その子供たちが一緒に住む大家族的住み方である。複数人の妻、それと結婚した子供たちがそれぞれ「アンダーラート」を持つようになると、最初は小規模だった家が次第に大きくなって、ときには住戸群（コンパウンド）のような規模になることもある（ジュナパニの家。図17、18）。どれだけ大きくなっても、それでも「ダルワザ」は一つである。「ダルワザ」は家父長を象徴する場所だからである。家父長が死ぬと、財産は父系男子成員に平等に分配されるため、合同家族は分裂して、それぞれの男子成員が「ダルワザ」を持つ家をつくる。

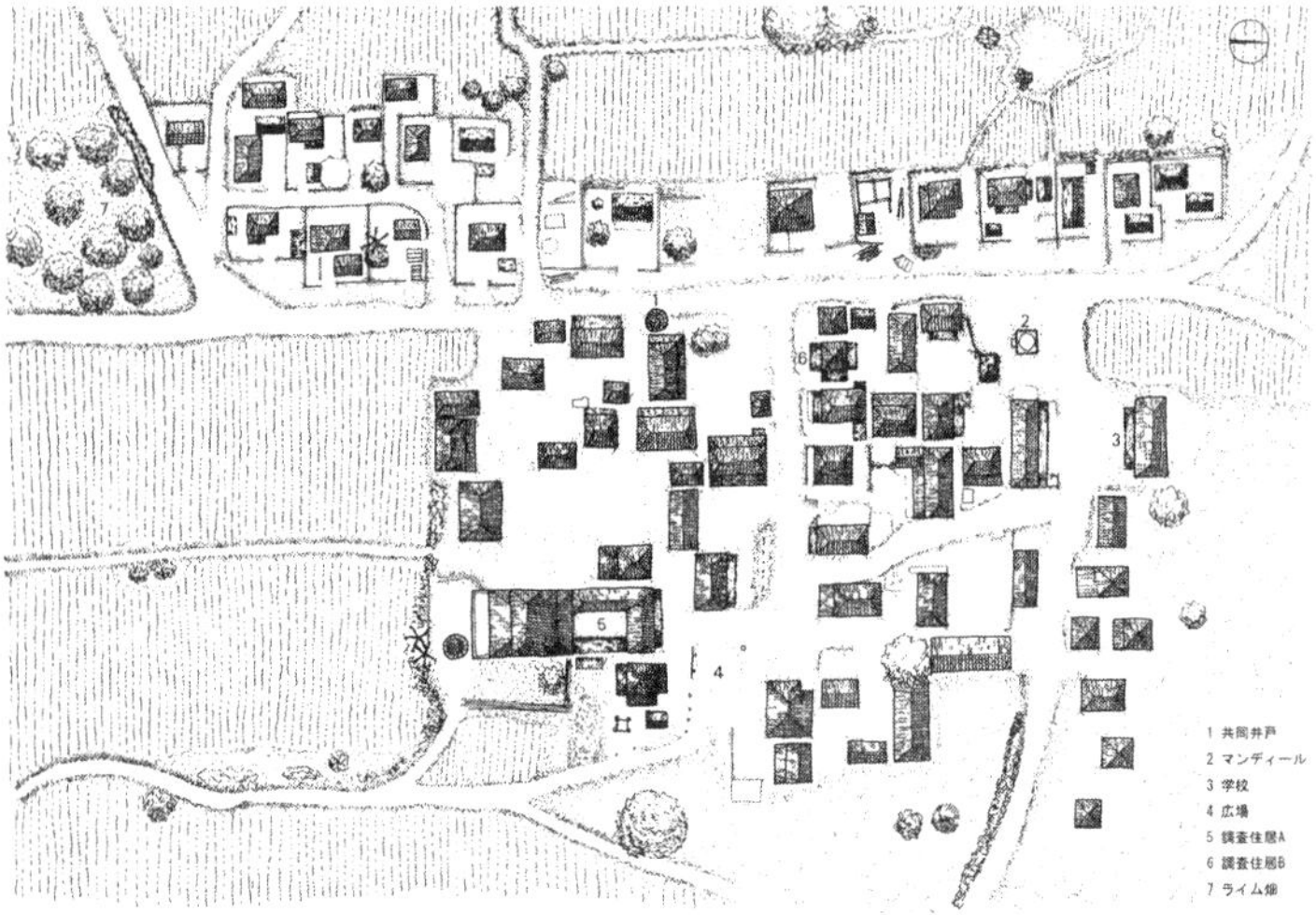

図17　ジュナパニ（インド）の配置図（出典：『住居集合論Ⅱ』80頁）。農民のジャーティーを中心にして周辺には彼等にサービスするジャーティー集団が住む。

スペインの“recibidor”、イラクの“madhef”、インド、ネパールの「ダルワザ」、これらはすべて「閾」である。「閾」はこのような形で集落の中に現われるのである。その「閾」の〝現われ（appearance）〟がその集落の町並みをつくっているのである。

かつての日本の家では門から玄関を入って式台があってその奥に座敷がある。どのように小さな家でも必ず座敷があった。私たちの知っているように座敷は家族のための場所ではない。公的な儀式のための場所であり、公的な人格を迎え入れる場所であった。日本の家でも全く同じように公的領域と私的領域は厳密に分けられていたのである。公的領域は家父長の領域（男の領域）であった。座敷がつまり「閾」である（図19）。

「閾」は私的領域の中の公的領域である

「閾」は見てきたように、機能的にはその地域ごとに様々な名前で呼ばれる。でも、その機能的な役割を超えて、集落という大きな共同体とその中の家族という小さな共同体との関係を調停する役割を担っているのである。「閾」は二つの領域の関係を「守り、保護し」そして「同時に双方を互いに分け隔てる」場所である。

古代ギリシアのポリスとオイコスの関係、世界の様々な集落と家との関係、時空を超えてその関係が驚くほど似通っているのはなぜなのか。家族という存在が「共同体内共同体」という構造を持っているからである。大きな共同体の領域（ポリス、集落）が公的領

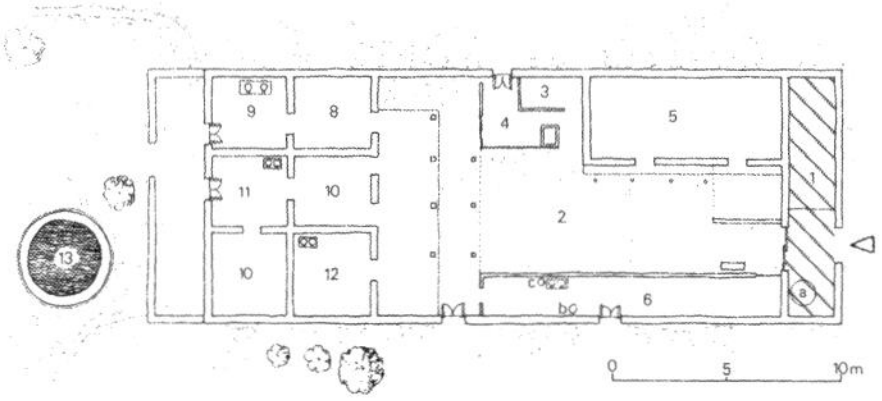

1 ダルワザ　5 寝室　10 寝室
2 中庭　6 台所・寝室　11 台所　a 穀物入れ
3 便所　8 倉庫　12 台所　b うす
4 浴室　9 寝室　13 井戸　c かまど

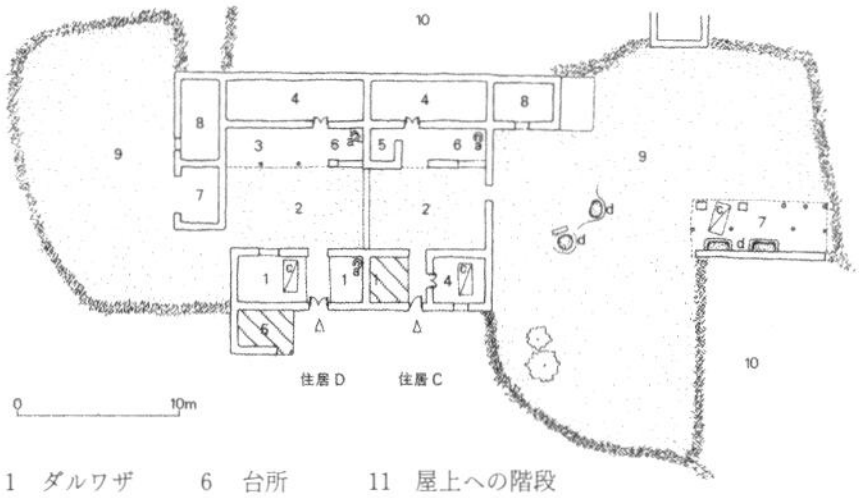

1 ダルワザ　6 台所　11 屋上への階段
2 中庭　7 牛小屋　a かまど
3 ベランダ　8 飼料庫　b 石臼
4 寝室　9 牛の庭　c ベッド　e ニッチ
5 倉庫　10 隣家　d 飼い葉桶　f 細い竹の壁

図18　上：ジュナパニ（インド）の住居平面図（出典：『住居集合論Ⅱ』81頁）。複数のアンダーラート（かまど）があっても単一のダルワザを持つひとつの家。下：ナスノダ（インド）の配置図（出典：同書、135頁）。兄弟の家。近接してもそれぞれダルワザを持つ二つの独立した家と考えられる。

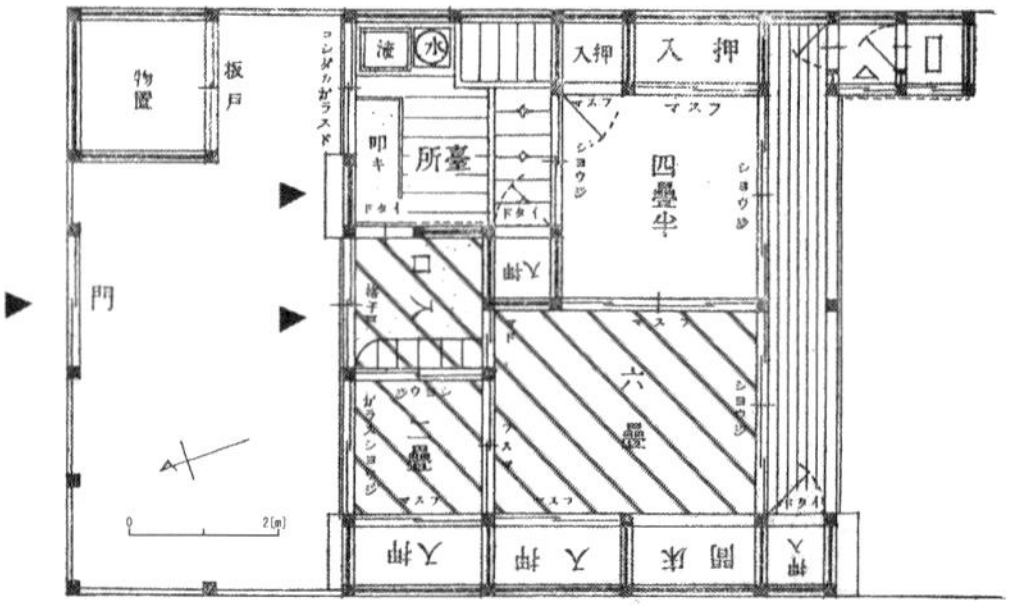

図19　座敷のある住宅（出典：遠藤於菟『日本住宅百図』68頁）。どのように小さな家でも必ず門構えがあり、玄関、式台、座敷があった。六畳間が座敷である。玄関を使う人と勝手口を使う人は厳密に分けられていた。

域である。そしてその中の小さな共同体の領域（オイコス、家）が私的領域である。ポリスと多くの集落が似通っているのは当然である。それは「家」という私的領域がその外側の公的領域との関係によってできあがっているからである。そして家という私的領域の中に公的領域を持っている、そのように設計されているからである。建築空間としての家はそれがどのような家であったとしても、その外と内との両者を調停する役割を担っているからなのである。似通っているのは、その調停の仕組みが基本的に同じだからである。

　ところが、家がそうした調停の仕組みを組み込んでいるということを、今の私たちが理解するのはとても難しい。

「共同体内共同体」という関係は、私的領域の公的領域に対する関係である。その関係を理解するのは、近代社会に住む今の私たちには、「異常に困難だ」とアレントは言う（『人間の条件』五〇頁）。家という建築空間が、既に、公的領域と私的領域の関係を調停し、両者を「守り、保護し」そして「同時に双方を互いに分け隔てる」場所ではなくなってしまっているからである。今私たちが住んでいる家はその外側とは切り離されて、単に家族の私生活の場所でしかなくなってしまっているからである。プライバシーを守るためだけの場所になってしまっているからである。プライバシーとは「なにものかを奪われている（deprived）状態」であった。隔離された状態である。そのように外側から隔離されたような家を、今、私たちは「住宅」と呼んでいる。その「住宅」に住んでいる私たちは、公的領域と私的領域の区別さえ分からなくなってしまっている。アレントはそのように言う。

「世界は、そこに個人が現われる以前に存在し、彼がそこを去ったのちにも生き残る。人間の生と死はこのような世界を前提としているのである」。それが世界であるとしたら、隔離されてその外側との関係を持たない住宅は世界をつくらない。住宅は単にその内側で「人間の消費的生命過程」（家事、育児、生殖）を維持するための「機能」（同書、二六一頁）のみしか与えられていないからである。その住宅に住む私たちが「世界」を知ることはない。

第二章　労働者住宅

1　アルバート館

世界初の労働者住宅モデル

一八五一年、ロンドンで開催された第一回万国博覧会は温室設計の専門家だったジョセフ・パックストン（一八〇一—六五年）による鉄とガラスの巨大展示場「クリスタル・パレス」がよく知られているが、同時に、その博覧会場には建築家ヘンリー・ロバーツ（一八〇三—七六年）の設計による労働者住宅のモデルハウスが展示された。謂わば世界初の住宅展示場である。アルバート館（Albert Cottage）である。「博覧会の7年前、アルバート公が総裁となり発足した『労働者階級生活改善協会』（Society of Improving the Conditions of the Labouring Classes）の建てたものである」（山口広『解説 近代建築史年表』三〇頁）。画期的な住宅だった。なにが画期的だったかというと、その平面計画（フロア・プランニング）である。ヘンリー・ロバーツは平面計画の工夫によって、労働者たちに快適で衛生的な生活をさせることが可能だと考えたのである。つまり、それぞれの部屋を用途によって分割し、そしてその部屋を互いに結びつけ、さらにその動線計画（フロー・プランニング）を考えることによって、その住人の生活をよりよい方向に誘導することができると考えたのである（図1、2）。動線計画というのはその建築空間において、人間がどのように行動するのか、その動き方をできるだけ合理的にしようとする考え方である。平面計画と動線計画が新たな建築的テーマになったのである。それは建築空間に対する従来とは全く違う新しいテーマであった。

それまでのイギリス（ヨーロッパ）の建築家の仕事はもっぱらその建築の〝現われ（appearance）〟

をいかに美しくするかということに集中していた。例えば、一八三五年に行われた国会議事堂の設計コンペティションでは、「ゴシック様式あるいはエリザベス朝様式を用いること」（鈴木博之『ジェントルマンの文化』三一頁）という条件がつけられている。一九世紀はリバイバリズムの時代である。「パディントン駅の前に接続して建つ建物は、イタリア一六世紀様式……ヴィクトリア駅はフランス一七世紀様式風、リヴァプール・ストリート駅の外側のホテルはフランソワ一世風様式」（同書、四

図1　アルバート住宅（出典：http://thelondonphile.com/2012/05/02/prince-alberts-model-cottages/）。平面計画の新しさに比して、外観にはあまり注意が払われていない。周辺環境と関係を持たない建築の外観をどうデザインすべきなのか分からなかったのである。

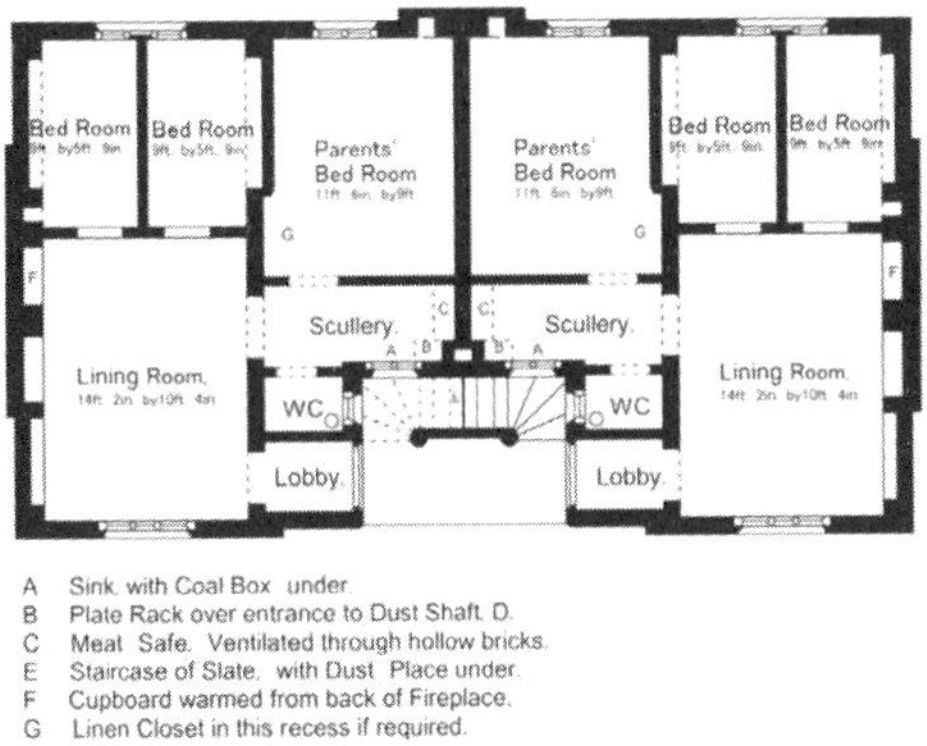

図2　アルバート住宅平面図（出典：小川圭子「1867年労働者住宅モデルの修正」86頁）。いわば3LDKである。“Scullery”は洗い場。調理は“Lining Room”のストーブで行われた。すべての部屋に外気に直接面する窓が設けられた。

六頁）というように、その建築の建てられる環境、そしてその用途によって、どのような過去の様式を採用するか、常にそれが論争の中心だった。建築はその建てられる環境や用途に合わせて美しい建築でなくてはならなかったからである。過去の様式こそが美の基準だったのである。

誰のために設計するのか

建築家たちは過去の時代の建築様式に精通し、それぞれに得意とする様式を持っていた。建築の設計とは徹底してその建築の〝外面の現われ〟だったのである。その建築の〝現われ（appearance）〟をいかに美しくするか、その美しさをいかに原理的に考えるか、ということこそが建築家の役割だった。ローマ様式（発明の才、大胆な多様性）あるいは古代ギリシア様式（ローマ様式に対する批判、原点への回帰）、ゴシック様式（ゴシック・リバイバルはイギリスで発展した建築様式であった）等、それぞれの様式はどのような意味を持っているか、どのような思想と共にあったか、どの建築家がどの様式が得意か、次の建築はどのような様式でつくられるべきか——それが議論され、設計コンペが行われたのである。そのような時代である。建築家の役割は「構造体を飾る」こと（ジョージ・ギルバート・スコット）だった（コストフ『建築全史』一一二一頁）。「様式のエキスパートとしての建築家」（同書、八九頁）である。構造的にただ頑丈な建築をつくり、使う人に便利で役に立つだけの建築は建築家の主要な仕事ではなかった。建築家の責任は、美しい建築をその都市景観の中につくることだった。建築家にとって決定的に重要なのは都市景観に対する〝外面の現われ（appearance）〟だったのである。

中産階級のコテジ（郊外住宅・週末住宅）も様式主義だった。コテジのためのパターン・ブックのようなものが発売されていたのである。「このようなパターン・ブックの集大成とも言うべきものがルードンの『コテジ・ファーム・ヴィラの建築・家具事典』（一八三三年、増補版一八四二年）であろう。その中には、当代の建築家によるチューダー様式の作品を初め、ゴシック様式、イタリア様式、スイス様式等でつくられたコテジが羅列されている」（片木篤『イギリスの郊外住宅』五六頁）。このパターン・ブックを参照しながら建築家は設計したのである。こうした設計の方法は〝sketchesque〟（スケッチ様式）と呼ばれた（同頁）。恐らく諧謔的にそう呼ばれたのだろうと思う。形態が単なるコスチュームになっている。オーガスタス・W・ピュージン（一八一二―五二年）（イギリス国会議事堂の設計者）やジョン・ラスキン（一八一九―一九〇〇年）がさすがにそうした風潮を批判して、建築本来の姿に戻れと言った。「形態とは信条の約定にほかならず、さらにキリスト者の人生路にとってまさに正道の手段は、イギリスのゴシックを正しく再現すること以外にありえない」（コストフ『建築全史』一一二二頁）。それが本来の姿である。ゴシック様式の合理性に戻れと言ったのである。建築家の役割は古典様式の精神を正しく理解することだったのである。そのような時代に平面計画・動線計画を中心に建築を考えるということが、いかに新しい考え方であったか、それが分かると思う。

なぜ、こうしたテーマがこの頃の建築家にとって新たな建築的テーマになっていったのか。「労働者」の登場である。「労働者」がこの時代に初めて登場した、それまでに出会ったことのない全く新たな「他者」であったからである。

住宅改革とは〝労働者のための住宅〟の改革だった。労働者階級（Labouring Classes）というこの時代にはじめて〝自分たちとは異なる〟一つの階級として意識されるようになった人びとのための住宅である。実際、「労働者」は建築家の前に初めてあらわれた人びとであった。それまで建築家の設計する建築は、発注者がそのまま利用者であり、それが個人であるか団体であるかを問わず、その発注者を表象するような建築を設計することが主な仕事だった。つまり発注者が直接的な受益者であった。でも、その労働者住宅の発注者はその建築に住む人ではない。顔の見える特定の人のために設計するわけではない。労働者階級という抽象化された人々のための建築である。特定の個人あるいは集団のための建築ではなくて、そうした抽象化された人々のための建築というのは、建築家にとって、はじめて経験する対象であった。そもそも「一九世紀において労働者住宅は建築の範疇にはなく」、むしろ「労働者住宅に関わることは建築家の名誉を傷つけるものであった」のである（土居義岳「近年のフランスにおける住宅史研究の動向」一四一頁）。つまり、労働者住宅に関わることは建築家自身の意識を自ら変えなくてはならないようなことだったのである。

労働者とは何者か、労働者階級とは何か、そして彼らのために設計するということはどのような意味を持つのか。産業資本家である発注者とその工場で働く労働者、どっちを向いて設計するのか。誰のために設計するのか。そしてそれはそのまま建築家たちにとっても、建築の設計という仕事そのものを、従来とは全く異なる視点で〝再発見〟する必要に迫られたのである。建築家とは何者か？

労働者住宅という閉じたパッケージ

アルバート館には「多くの外人を含む35万にのぼる人々がこれらの優れた家を見学に来た」（山口広『解説 近代建築史年表』三〇頁）というから労働者住宅としてだけではなく、当時の人々にとって、住宅問題がいかに深刻な問題であったかが分かると思う。そして住宅問題はその後の建築家にとっても最大の問題になっていくのである。

ロンドン博の一年前に出版されたヘンリー・ロバーツの著書には住宅を設計する時の基本的な考え方が示されている。「一つの家族のためにつくられる住宅は、原則として、少なくとも三寝室以上で構成されていること。そしてそれぞれの寝室は独立していなくてはならない。性別の分離を徹底させるためである。リビングルームは一四〇～一五〇平方フィート〔一三～一四平米〕、夫婦寝室は一〇〇平方フィート〔九平米〕を下回ってはいけない。病に対する備えとして、暖炉は重要である。暖炉のないものも含めてすべての部屋は、汚れた空気の排気口を天井近くにもうけるべきである。小さな部屋では壁に組み込まれたダクトによって屋根の排気口から排気されるようにするのが適切である」(Roberts, *The Dwellings of the Labouring Classes*, p. 5) などという住宅の設計に対する細かい心構えが示されている。それはそこでどのような生活をするべきかという生活像の提案である。労働者のための「あるべき生活像」である。

ヘンリー・ロバーツの提案は平面計画であり動線計画だった。それによって労働者のより良い生活像を示すことができると考えたのである。

生活像を住宅の平面計画と動線計画で示す、それが可能だったのは労働者住宅という問題をその住宅の内側の問題として考えたからである。その外側との関係は問わない。建てられる場所との関係は示されていない。「労働者住宅」としてその外側から切り離して、その内側の平面計画と動線計画だけを問題にするという考え方である。内側に住むのは家族である。父、母、子供という標準的家族が想定された。つまりその標準的家族のための閉じたパッケージである。そして、閉じたパッケージであることが可能なのは、そこで想定される活動がその内側の人たちによる消費的生活だからである。健康を維持し、生命を再生産しそれを守るための生活である。いわば、古代ギリシアの「ギュナイコニティス」(女の領域)での生活だけが切り取られて一つのパッケージになったような建築である。その外側と交流するための「アンドロニティス」(男の領域)のような場所はない。平面図をみても、玄関は外に対して完全に閉じている。つまり「閾」にあたる場所はない。それが「労働者住宅」である。消費活動だけのための場所である。

家族は「共同体内共同体」である

第一章でも触れたように、ハンナ・アレントはそうした消費的生活を「人間の消費的生命過程」(『人間の条件』二六一頁)と呼んだ。生命の維持、健康の維持、生殖という人間の生命過程のみが切り取られ、囲い込まれ、それが持続的に繰り返されるような生活が「消費的生命過程」である。消費的生命過程のためのパッケージがつまり、「労働者住宅」である。「閾」を持たない「家」である。

家族は「共同体内共同体」である、と述べた。大きな共同体の中の小さな共同体という関係である。そして「閾」はその二つの共同体の関係を調停するための空間的な装置であった。両者の関係を「守り、保護し」そして「同時に双方を互いに分け隔てていた」場所である。アレントはその大きな共同体の領域を〝公的領域〟、小さな共同体の領域を〝私的領域〟と呼んだ。古代ギリシアのポリスが公的領域である。そしてオイコス=「家」が私的領域である。つまり、「家」は常に公的領域の中にある。公的領域との関係としてある。古代ギリシアだけではなくて、かつての日本の家、あるいは私たちが見てきた集落とその中の家の関係である。ところが、「労働者住宅」にはその上位の大きな共同体は想定されていない。つまり公的領域がない。住宅はその外側から切り離されて「健康を維持し、生命を維持し、そして生殖のためのパッケージ」として隔離されてそこにある。その隔離された状態（deprived）、なにものかが欠如した状態（privative）がプライバシーと呼ばれる状態である。

この時代「公的領域は、いっそう限られた非人格的な管理の領域へと、完全に消滅」（同書、九〇頁）した、とアレントは言う。この時代というのはマルクスの時代に始まって今に連続している時代である。労働者階級という概念が共有され、労働者問題が社会問題になって、労働者のための住宅が実際につくられ始めた時代である。その時代に公的領域が非人格的な管理のための空間に変質したというのである。そして同時に「家」が「労働者住宅」のようなプライバシー（隔離）のための空間に変質した。「生命と労働力の再生過程における単なる機能に融解」（同書、二六一頁）したのである。公的領域と私的領域は相互に関係しているわけだから、当然同時に変質する。労働者住宅の外側の空間は公的領域ではなくて管理のための空間になった。その管理空間の真っ只中にあるのが「労働者住宅」である。つまり、公的領域が解体され、均一化された管理空間になり、「家」が解体されて労働者住宅になった。その労働者住宅での生活がプライバシーを守る生活である。「消費的生命過程」のための生活である。労働者住宅はその後、低廉住宅と呼ばれ、そしてただ単に住宅と呼ばれるようになる。つまり、それはそのまま今の私たちの住宅につながっているのである。

ひょっとしたら分かりにくいのではないかと思う。住宅という建築空間の用語とプライバシー、私生活、管理という政治的な用語、そして家、私的領域、公的領域という空間的であると同時に政治的であるような用語が混在しているように見えるからである。「家」も「住宅」という言葉もそれ自体が建築空間であり、一方で極めて政治性の強い空間であるというアレントの指摘を理解することが難しいのである。さらにアレントのそうした言葉を日本語に翻訳すること自体が非常に難しい。「家」はオイコスである。「閾」を持った家である。アレントの用語では私的領域である。「家」は建物そのものを意味し、財産を意味し、家父長に従属する家族のメンバーを意味していた。その私的領域(the private realm)は公的領域(the public realm)の中にある。その家族は、同じ家族という言葉を使っていても、均一化された管理社会の中での家族とは全く違う。その管理社会の中の家族を、アレントは“modern privacy”(Arendt, *The Human Condition*, p. 38)と呼ぶ。「近代の私生活」である(『人間の条件』六一頁)。その「近代の私生活」を囲い込む場所が住宅(the private sphere)(Arendt, *The Human Condition*, p. 38)である。私たちは今、このような私生活を家族と呼び、そのための「住宅」こそが家族の「親密さ(intimacy)」(『人間の条件』六〇頁)を守るための最も重要な空間だと思っている。外側の管理空間から逃避し閉じこもり自らを守るための空間である(第一章の図4参照)。

2　労働者住宅の実験——親密なるもの

「完全に私的（private）な生活を送るということは、なによりもまず、真に人間的な生活に不可欠な物が『奪われている』deprived ということを意味する」とアレントは言う（『人間の条件』八七頁）。なにが奪われているかというと「他人によって見られ聞かれることから生じるリアリティを奪われている」（同頁）のである。「他人を見聞きすることを奪われ、他人から見聞きされることを奪われる」（同頁）ということは、自分自身がその周りの人々（他者）と共にいるという実感（リアリティ）が奪われているということである。それは他者を含まない「親密なるもの」（同書、六一頁）のみの生活である。住宅はなによりもその「親密なるもの」の関係を囲い込む空間としてある。

繰り返すが、「私的領域」は常に「公的領域」とのセットである。「私的領域」は「閾」を通じて「公的領域」と接続されていた。なによりも、自分たちがその「私的領域」の中の親密な空間（the private sphere）にいるときには、そこが「公的領域」とは異なる場所だということが分かっていた。公的領域に参加できない状態、つまり「なにものかを奪われている」状態にいるということを彼ら（かつての私たち）はよく知っていたのである。

今の私たちは、私たちの私生活が「なにものかを奪われている」状態であるとは全く思っていない。私生活のプライバシーが守られるのは当然だと思っている。「見られない、聞かれない」ことはむしろ自分たちの権利だと思っている。私たち自身が私生活を「なにものかを奪われている」状態だと意識しなくなっているのである。なぜそれを意識しなくなっているのか。住宅の外側が管理空間であることを私たちは知っている。でも、その住宅の内側にいる人たちは自分たちが管理されているとは思わない。なぜ思わないのか。

愛の活動力は世界の住民から身を隠す

「私生活にはなにか欠けたものがあり、限られた家族の領域だけで送られる生活には、なにか本来欠くことのできない大切なものが奪われているという意識は、キリスト教が勃興すると、大いに弱められ、ほとんど消滅するまでに至った」とアレントは言う（『人間の条件』八九頁）。キリスト教の隣人愛が「世界」を否定しているからだという。「愛の活動力は、世界を見捨て、世界の住民から身を隠す。そして、世界が人びとに与える空間を拒否し、とりわけ、すべての物、すべての人が、他人によって見られ、聞かれる世界の公的部分を拒否する」（同書、一〇九頁）と言う。「世界の公的部分」は公的領域である。その公的領域の中で、人々の活動は他人によって見られ、聞かれるものであった。キリスト教の愛はその公的領域を拒否するというのである。公的領域を失った人間は均一化される。「この人間の均一性の明確化は、隣人愛の戒めの中に含意されている。他者は根本的にあなたと均一であるので、つまり、他者はあなたと同様に罪ある過去を持っているので、それ故にあなたは彼を愛すべきである」（アーレント『アウグスティヌスの愛の概念』一五五頁）というキリスト教の隣人愛がすべての他者に対する愛情を隣人愛として相対化して、人間を均一化し、〝均一化された人間が住む空間〟においては、私生活の場所はそのままその外側となめらかに連続する（してしまう）と考えられたのである。だから、その〝均一化された人間が住む空間〟の中では自分たちだけのより親密な関係をつくるためにそれを囲い込んで守ることが必要だった。そこから逃げ込むためにプライバシーが必要だったのである。そのプライバシーという〝親密なるもの〟の関係が外側から切り取られて、隔離されていたとしても、そこにはなにも欠けたものはないと考えられたのである。それがアレントの解釈である。〝親密なるもの〟のための場所（the private sphere）とは性愛のための場所である。消費的生命過程のための場所である。でもそれは「私的領域（the private realm）に取って代わる代用物としてはあまり頼りにならない」（『人間の条件』九九―一〇〇頁）とアレントは言う。なぜならそれは私的領域のような永続性を持った場所ではないからである。永続性が保証されるのは公的領域の中において、そこで人々が共生（living together）（同書、四三頁）している場合のみである。

私生活の親密性がキリスト教的世界観と深く関係しているとしても、でも、それが「私生活の場所」という具体的な空間になったのは労働者住宅においてである。労働者住宅は予めその外側から切り離されている。労働者たちはその労働者住宅に住むことによって、一方で均一な管理社会の住人に、一方で親密な私生活の住人になったのである。アレントの言うキリスト教的世界観が具体的な住宅として〝物化（materialize）〟されたことが重要なのである。私生活の親密性が住宅という建築空間（the private sphere）になったこと、それがより本質的なのである。

親密さとはなにか、周りから隔離された住宅の中に住むことによって、当時の人びとは、はじめてそれを実感したのである。ヘンリー・ロバーツの労働者のための住宅計画がその発端だった。親密な家族のための住宅である。「一つの住宅に一つの家族が住む」、そのような住宅である。当時、そのような住宅に住んでいる労働者はほとんどいなかった。一部屋に詰め込まれるように住んでいたのである。「夫と妻、四、五人の子供、ときには祖父母までもが、一〇ないし一二平方フィートのわずか一室におり、そのなかで彼らが働き、食べ、眠るのはめずらしいことではない」（エンゲルス『イギリスにおける労働者階級の状態』上、七二頁)。ちなみに一九一〇年のウィーンですら、「一戸に一世帯の住居は五七三四戸で、そこに住む住民は、ウィーン全人口の一・二パーセントにすぎなかった」という(トゥールミン&ジャニク『ウィトゲンシュタインのウィーン』八一頁)。それが実態だったのである。そのような人びとにとって、家族だけの空間は夢のような住宅だった。労働者住宅は夢の住宅だったのである。家族だけの親密な生活である。そこに欠けたものなどなに一つない。建築家たちの考え方であった。そこに住む住人たちの考え方であった。

3　隔離される住宅

ミュルーズの労働者都市

イギリスでのこうした労働者住宅に対する考え方はすぐにフランスの労働者住宅に反映される。ヘンリー・ロバーツの著作『労働者階級の住宅(*The Dwellings of the Labouring Classes*)』が「第二共和政大統領ルイ・ナポレオンの意向で翻訳、配布された」(中野隆生『プラーグ街の住民たち』一二頁)というように、当時、労働者住宅問題はイギリスだけではなくて、パリやベルリン、ウィーンなどヨーロッパの各都市においても極めて重要な問題だったのである。

その影響を受けたフランスにおける最も初期の労働者住宅がミュルーズの労働者都市である(図3、4)。ミュルーズはフランス北東部の繊維産業を中心にする工業都市である。「十九世紀初頭以

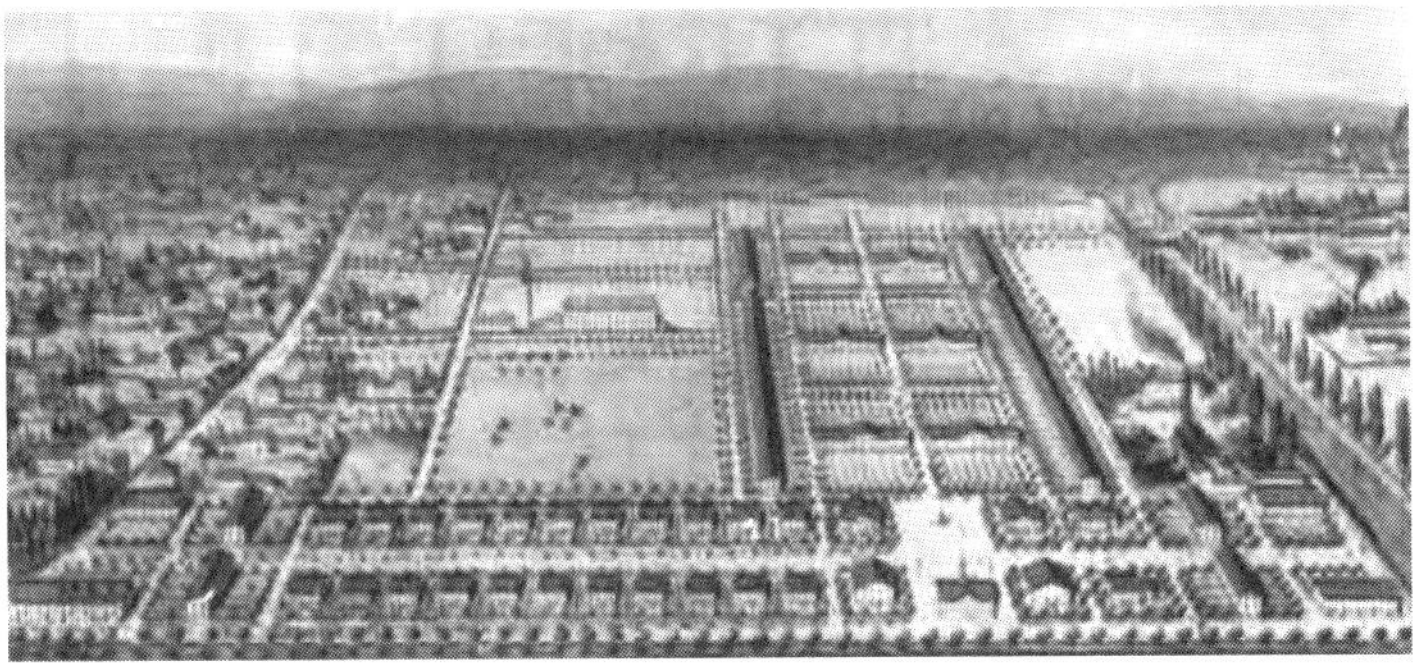

図３　ミュルーズの労働者都市①（出典：中野隆生『プラーグ街の住民たち』37頁）。

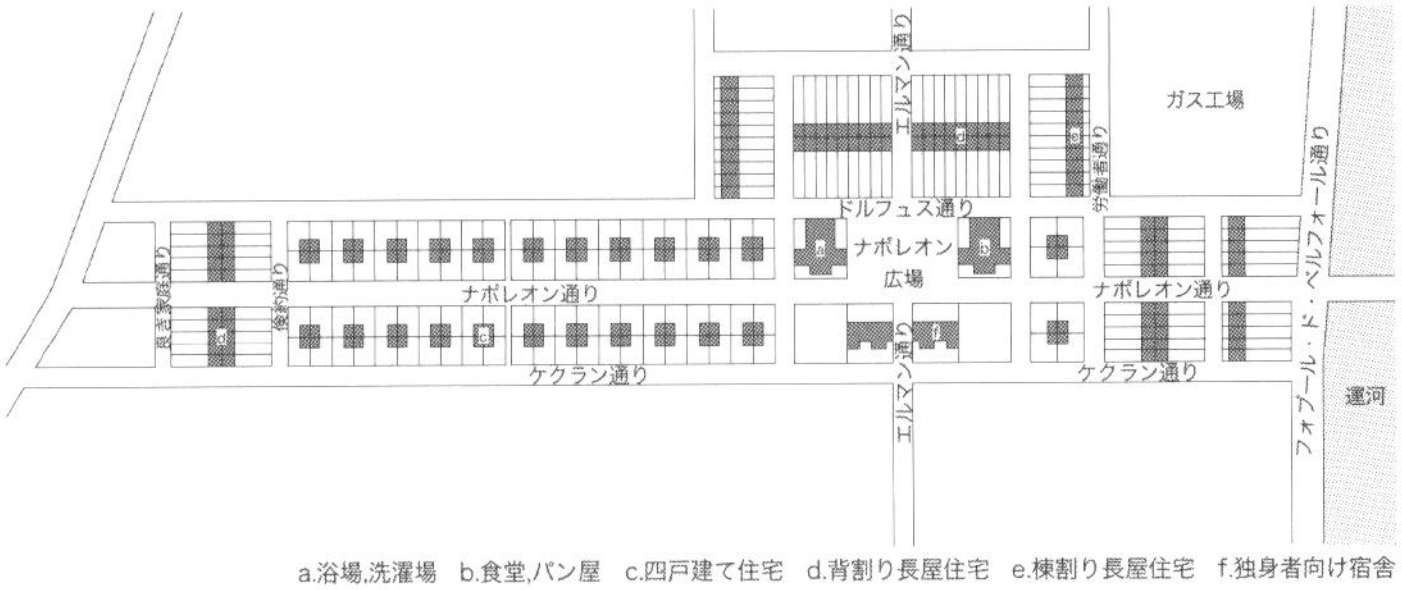

図４　ミュルーズの労働者都市②（中野隆生『プラーグ街の住民たち』41頁を元に著者が作成）。

降、捺染業をはじめ紡績業、織布業などにおける機械制工場生産の拡大とともに成長した綿工業の一大中心都市であった」（同書、二九頁）。一八五三―一八五五年にその第一次都市がほぼ完成した。人口二〇〇〇人のフランスでは最初の大規模労働者都市である。設計者はエミール・ミュレール（一八二三―八九年）という建築家である。

住人を隔離するための住宅

「第一次都市の住宅はいずれも二階建てとされていたが、ひとつの家屋を十字に四等分して周りに菜園をおく四戸建て住宅（タイプA）、長屋状の建物を縦に二分し各住戸の出入り口に菜園を配した背割り長屋住宅（タイプB）、出入り口が前後にあり各戸に菜園と庭の付く棟割り長屋住宅という三種類の基本型に分けることができる」（中野隆生『プラーグ街の住民たち』三九頁）。そのいずれのプランでも、その住戸へのアクセスはできるだけ重ならないこと、相互に干渉し合わないように配慮されている（図5）。「人びとのあいだに自ずと形成される結び付きを警戒して、民衆の『悪習』をただし、道徳的『頽廃』を阻止する意図が、単一家族向け住宅、直線的配置、広い菜園や庭、狭い道を避けて多用された広い道路、集合の機会をできるだけ制約する共同施設の構造と運営方式、用地全体に広がってバラバラに掘られた井戸といった設計、建設の方針につながっていた」（同書、四六―四七頁）。この指摘は二つの点で重要である。一つは「1住宅＝1家族」という住み方が極めて独立性の高い、排他的なユニットとして設計されたということである。それが共同性を排除するためには最も適した住み方だったからである。そしてもう一つは、条件にばらつきが出ないように、タイプごとに同じ方向に向かって平行に（グリッド状に）配置されたということである。つまり均質な配置計画である。各住戸は相互に平等でなくてはならなかったからである。均質性は各住宅のすべてが平等に独立性を保持し、住宅相互の共同性を排除するための配置計画である。均質性は管理空間の特質なのである。こうした共同性の排除は「民衆の『悪習』をただし、道徳的『頽廃』を阻止する」ために極めて重要だと考えられたのである。労働者住宅は一九世紀に誕生したその瞬間から「1住宅＝1家族」という居住形式だった。そこに住む家族の〝プライバシーを守る〟ための「住宅」だったからである。つまり、そこに住む人たちを相互に〝隔離する〟ための住宅だった。それが労働者

図５　ミュルーズ労働者住宅の平面図（中野隆生『プラーグ街の住民たち』38頁を元に著者が作成）。左がタイプA、右がタイプB。

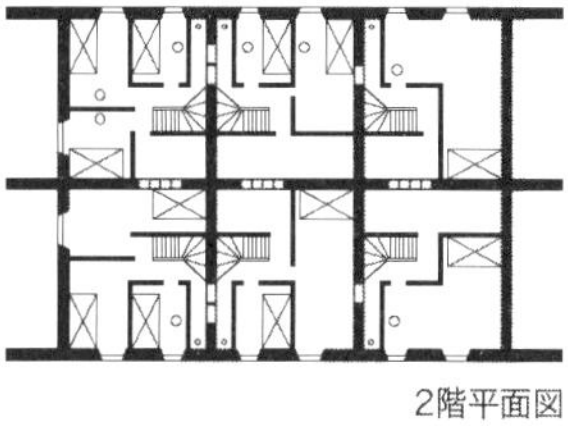

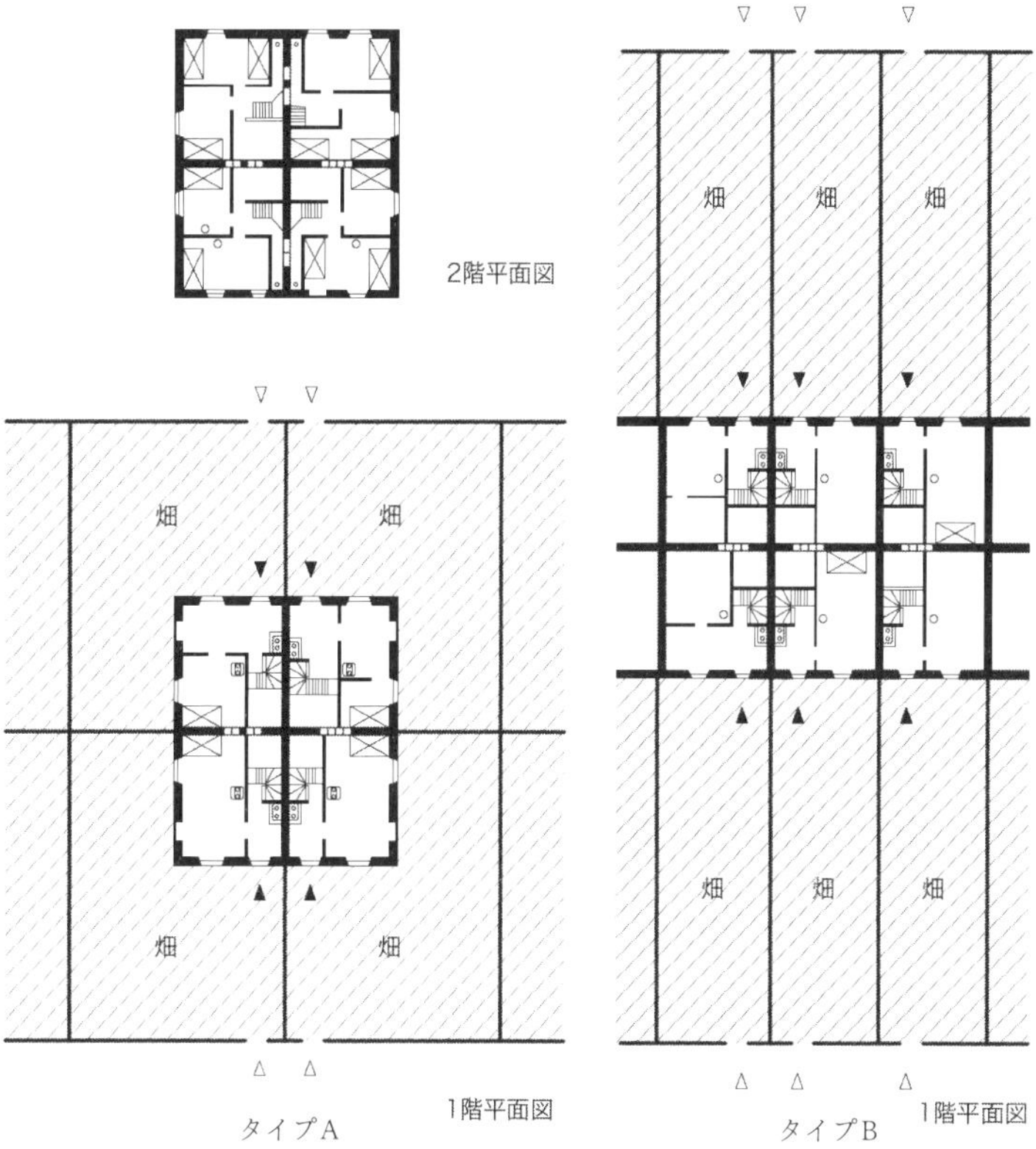

住宅である。それは産業資本家の強い意志である。そこで働く労働者たちをいかに管理するか、それが目的だったからである。管理とは、そこに住む労働者たちを標準化・均一化させることである。そのための管理である。ばらつきのない優れた製品を生産するためには個々の労働者の能力のばらつきをできるだけ標準化・均一化することが必要だったのである。

労働市場に持ち込まれて売られるのは、個人の技能ではなく「労働力」となる。この「労働力」は、生きている人間ならだれでも、だいたい同じくらいの量をもっているだろう。(アレント『人間の条件』一四三頁)

すべての人は同じ労働力を持っている。そして、できるだけ多くの均質な製品を生み出すために「分業」というシステムが発明された。アレントは「労働力」が「分業」という生産システムと深い関係にあると言う。分業を担う労働者は入れ替え可能である。分業の構成員はそれぞれ同じ力量を持っていると仮定されるからである。逆にいえば誰でもが同じ力量を発揮できるように生産ラインが細かく分割されそれぞれの労働が単純化されるわけである。その単純労働を担うために労働者の労働力は標準化・均一化されなくてはならなかったのである。

二人の人間がその労働力を重ね合わせる……ことができるという……一者性(oneness)は、協業(co-operation)のちょうど反対である。(同書、一八四頁)

複数の人間があたかも一人であるかのように振る舞うという意味での一者性は、予め決定された最終目標に向かって、最も効率よく分担された労働を繰り返す。その繰り返される労働による生産工程においては一人一人の分担はとなりの分担との足し算でしかない。相互に協力し合って最終目標をその都度検証するという〝協業（co-operation）〟に対立するものである、というアレントの見解は、今私たちが建築の設計をしている状況を考えると極めて説得力がある。建築の設計は〝co-operation〟である。それは分業とは全く違う。建築の設計は個々の労働力の足し算としてカウントできない。後にこの問題はもう一度話題にしたいと思う。

二月革命がきっかけだった

「労働力」という概念の発見はマルクスの功績である。そしてそれがその後の労働の意味を決定的にしたというのはアレントの指摘である。あらゆる労働の価値が誰でも同じように持っている均一な労働力によって計測されるようになったのである。「このような『労働の集団的性格』は……個別性やアイデンティティの意識をことごとく本当に棄て去るよう要求する」（『人間の条件』三四〇頁）。労働の集団的性格というのは労働の「一者性」のことである。そこでは働く個々の人たちの個性や卓越性はむしろ攪乱要因なのである。労働力の均一性のために消してしまわなくてはならないものである。

つまり、ミュルーズの労働者都市は均一化された「労働力」を確保するために計画されたのである。労働者の「個別性やアイデンティティの意識をことごとく本当に棄て去る」ように、そうさせるように労働者都市全体が計画されたのである。労働力の品質管理（人格管理）のためである。こうした計画の中で生み出された住宅が「労働者住宅」である。「1住宅＝1家族」の徹底、そしてその相互隔離とそれぞれの住人の均一化である。

この労働者たちの徹底した相互隔離の原因の一つはパリの二月革命にあった。「一八四八年の革命をきっかけに問題の切実さが意識されるようになり、第二帝政下に労働者住宅建設にたいする政府の補助金がつくられると、工業都市を中心にして建設の動きが全国に少しずつ拡大していった」（中野隆生『プラーグ街の住民たち』一二頁）のである。つまり、二月革命を一つの大きなきっかけとして労働者住宅がどのように供給されるべきか、それが強く意識されるようになっていったのである。革命という極めて政治性の高い出来事が、住宅という建築空間に強いインパクトを与えたのである。つまり、住宅はその発端から政治的意図を持った空間だったのである。

二月革命を目の当たりにした産業資本家たちは建築空間のその政治性を見抜いたのである。労働者たちを集まらせてはならない。労働者たちが集まる空間を作ってはならない。労働者たちが共にいる時間を作ってはならない。それが労働者都市の計画理念であった。

二月革命はよく知られているように、ルイ・フィリップの七月王政の時代に「改革宴会」を禁じられた民衆の蜂起が原因である。この改革宴会の模様がアレクシス・ド・トクヴィル（一八〇五―五九年）の『フランス二月革命の日々』に挿絵として掲載されている（『フランス二月革命の日々』四一頁）。巨大なボールルームに並べられたテーブルにはテーブルクロスが掛けられて一応宴会を装っているが、それはいかにも議論をするような配置である。意図的な政治集会だということが一目で分かるような配置である。この二月革命の担い手は「語の厳密な意味での民衆、つまり自ら働いて生活する階級」（同書、一二三頁）である。一八三〇年の「七月革命は民衆の手によって遂行された。しかし民衆を煽動し導いていった中産階級が革命の主要な果実をその手にしたのであった。二月革命はこれとは逆に、ブルジョワジーの全く手のとどかぬところで、ブルジョワジーに対立しておこなわれたように思われた」（同書、一二四頁）。その民衆の要求は様々だった。「一人は財産の不平等をうちこわせと主張し、他の一人は知識の不平等をなくせという。第三の者は、最も古くからの不平等、つまり男と女の間にある不平等をなくすことを計画していた。貧困に対する特効薬や、人類発生以来の苦悩の種である、労働にともなう弊害への対策が指摘されたりした」、「こうしたものすべては、政府よりも、もっと底辺のところにねらいをつけていて、彼らを支える社会自体を手に入れようと努力していたのであり、社会主義という共通の名称を掲げていた。社会主義は二月革命の基本的な性格として、また最も恐るべき想い出としてあり続けるであろう」（同書、一三二頁）。二月革命は労働者による革命と言われているが、マルクスの言うようなプロレタリアートの革命という一貫した意識が当時あったわけではない。当事者たちの思いはトクヴィルの言うように様々であった。その二月革命に社会主義という共通の当事者意識を与えることになったのは、それぞれに自分たちの手による社会、「自ら支える社会」の実現に対する漠然とした思いがあったからである。その漠然とした思いを社会主義という言葉によって表そうとしたのである。

いかなる理由であったとしても、人びとが集まるということがいかに危険か、再び二月革命のような暴動を起こさせないようにするためには労働者たちをどう扱ったらいいのか、それを身に染みて知ったのが産業資本家たちである。それは同時に社会主義というまだよく分からない労働者社会に対する不安でもあった。二月革命は既にして「恐るべき想い出」だったのである。

だからこそできるだけ相互に出会うことのないこうした居住形式が発明されたのである。つまり「閾」のない家である。外側と接触するような場所を持たない家である。玄関ドアの前に「ベランダ」もないし玄関ドアの内側には“recibidor”もない。勿論「マディフ」や「ダルワザ」のような場所はない。当然である。労働者住宅は「共同体内共同体」という構造を持っていないからである。単に「1住宅＝1家族」が均質に並ぶだけである。上位の共同体を持っていない。住宅の集合の空間が産業資本家による徹底した管理空間でしかないからである。こうして究極の隔離住宅ができあがったのである。

4　共同体的居住システム

フーリエ的共同居住

こうした「1住宅＝1家族」に対抗するような労働者住宅計画がある。「1住宅＝1家族」ごとに孤立するのではなくて、共同体的に住むような住み方である。シャルル・フーリエ（一七七二―一八三七年）によるファランステールの影響を受けた集合的住宅である。フーリエはエンゲルスによって空想的社会主義者と呼ばれた三人のうちの一人である。確かにファランステールはそれまでに誰も見たこともない空間の提案であり生活の提案であった。ファランジュと名付けられた「共同社会（sociétaire）」は男八一〇人、女八一〇人で構成される（ベンヤミン『パサージュ論』第四巻、一七三頁）。ファランジュの構成員は、赤子（〇〜一歳）、嬰児（一〜二歳）、小悪魔（二〜三歳）、腕白（三〜四歳）というように分類された年少の子供の教育から、師、尊者、長老と名付けられた高齢者まで、年齢による役割がきめ細かく決められ、全員が労働に参加するように組織された（フーリエ「産業的協同社会的新世界」五五九頁）。そして、そのファランジュのための建築空間がファランステールである。「農業を中心にした生産諸活動を含め、演劇、読書など多様な活動がそれぞれに集団を形成しながらおこなわれるが、ひとりひとりは、各種の共同活動にローテーションで参加し、特別の活動に専門化し分業化することはない」、「集会場、パレード広場、情念取引所などによって住民間の相互交流が促され、畜舎、納屋などの農業施設、手工業の作業場、あるいは図書室、教会、劇場、等々を通じて多様な共同活動が保証される」（中野隆生『プラーグ街の住民たち』一七―一八頁）。この情念取引所の情念というのは、"passionnée"（フーリエ『四運動の理論』）である。情念というよりも熱情という言葉に近い。情念（熱情）は系列を持っている。「陰謀情念」、「複合情念」、「移り気情念」あるいは「分配情念」、「機械化情念」等々、フーリエによって一二に系列化された引力、つまり人間が相互に引きつけ合う熱情のことである（この引力というアイデアはニュートンに刺激されている）。熱情こそ活動力の源泉だとされる。「情念取引所」はそれを交換する場所である。様々な熱情の調和を図るための場所である。宇宙の法則から人間の身体の器官の各部分にいたるまで世界は緻密に調和された世界である。フーリエはそのように言う。

労働は調和の美学だった

マルクスにとって労働とは均一化された労働力であり、その労働は単に消費されるものだった。「消費されるのが当然の運命であるような労働」（アレント『人間の条件』一八六頁）からいかに解放されるか。「人間を労働から解放する」（同書、一六〇頁）こと、つまりマルクスにとっては、労働は解放されるべきものだったのに対して、フーリエにとっては、労働は調和の美学だった。「フーリエは調和社会人の農業の美しさを描写しているが、この描写は、子どもの絵本の色彩豊かな絵のように読める。『協働状態では、もっとも不潔な仕事の場合ですら、特別の贅沢ができるであろう。耕作者グループの灰色の上っ張り、草刈り人グループの青色の上っ張りは、縁飾り、帯、揃いの羽飾りによって、艶のある荷馬車、高価でない飾りをつけた引き馬たちによって、引き立てられるであろう。すべては飾りが仕事中に汚れないように按配されている。もしわれわれが、世に英国式と呼ばれるあいまいな様式〔英国式庭園は人間の手がそこに入っていないかのように設計される。自然のままであるかのようにつくられる回遊式庭園である〕で配置された美しい谷で、……あるグループは旗と道具をもって歩き回り、あるグループは行進しながら賛美歌を合唱する、といった仕事中のすべてのグループを見るならば、……この風景は魔法にかけられている、それは桃源郷でありオリュンポスの神々の住まいだ、と信ずることだろう』」（ベンヤミン『パサージュ論』第四巻、一九三―一九四頁）、「『農業の美』について。『このような鋤は今日ではかなり耐えがたいものだが、きっといつか、若き君主も若き平民もそれを操ることであろう。それは一種の産業馬上試合のようなものになるだろう。この試合では、各競技者は自分の精力と技巧を証明し、美女たちを前にして自分を際立たせることだろう』」（同書、一九〇―一九一頁）。フーリエにとっては、労働は手段ではなくてそれ自体が目的である。ファランジュというソシエテ（société）の中で労働する姿それ自体が美しいのである。

このころ、一八〇〇年代の建築は様式主義のまっただ中である。いかに美しい建築をつくるか、それが建築家の役割だった。美しい建築はその自然環境、都市環境、歴史的環境との関係において美しくなければならなかった。様式主義は後の近代主義の建築家たちから激しく批判されるが、その周辺環境への配慮、周辺との美的調和という意味では近代主義の建築家にくらべてその意識は遥かに高かったと言って良い。同じように、ファランステールにおいても、建築だけではなくて、その建築を含む周辺環境のすべてを含んでそれをいかに美しく調和させるか、それが重要だったのである。

実現したファランステール

こうしたフーリエの考え方の影響を受けたジャン＝バティスト・ゴダン（一八一七―八八年）という鋳鉄製ストーブをつくる会社を経営する産業資本家が、実際にファランステールのような労働者住宅をつくってしまった。パリから一五〇キロメートルほど北上したギーズという場所である。一八六〇年に第一棟が完成して、三棟すべてができあがったのは一八七一年である。ゴダンは「家族を相互に孤立させる居住空間を希求する建築家を批判しつつ、住民の社交的関係を尊重した建築物を求めて自らも設計に参画した」（中野隆生『プラーグ街の住民たち』二一一頁）というから、この計画にはミュルーズのような労働者をただ孤立させるだけの計画に対する強い批判が込められていたのである。この

図６　ファミリステール①（出典：中野隆生『プラーグ街の住民たち』22頁）。オワーズ川のほとりに「風呂・洗濯室・プール棟」が見える。そのさらに右側に工場棟が広がっている。この全体がファミリステールである。

共同居住施設は〃ファミリステール〃と名付けられて、実際、労働者住宅のもう一つのプロトタイプになる可能性を持っていたのである（図６）。

中庭を囲むようなロの字型の配置計画で、四階建てのすべての部屋がその中庭に面していた。その中庭にはガラスの屋根が架けられている。つまり四層分の高さを持つ巨大アトリウムがその中心にあってそれを住戸が囲むという配置計画である。ミュルーズの配置計画の特徴がその均質性にあるとしたら、このファミリステールは象徴的な中庭を囲む、極めて中心性の高い配置計画である。空間のインパクト（appearance）はこのファミリステールの方が圧倒的に強い（図７〜９）。

「左翼棟に引き続いて、中央棟が一八六二年から一八六四年にかけて建設された。一五〇〇戸の住宅によって囲まれたアトリウムの面積は九〇〇〇平米ほどである。シンメトリーの外観の中央にはファランステールの監視塔を模した時計台と展望台がつくられ

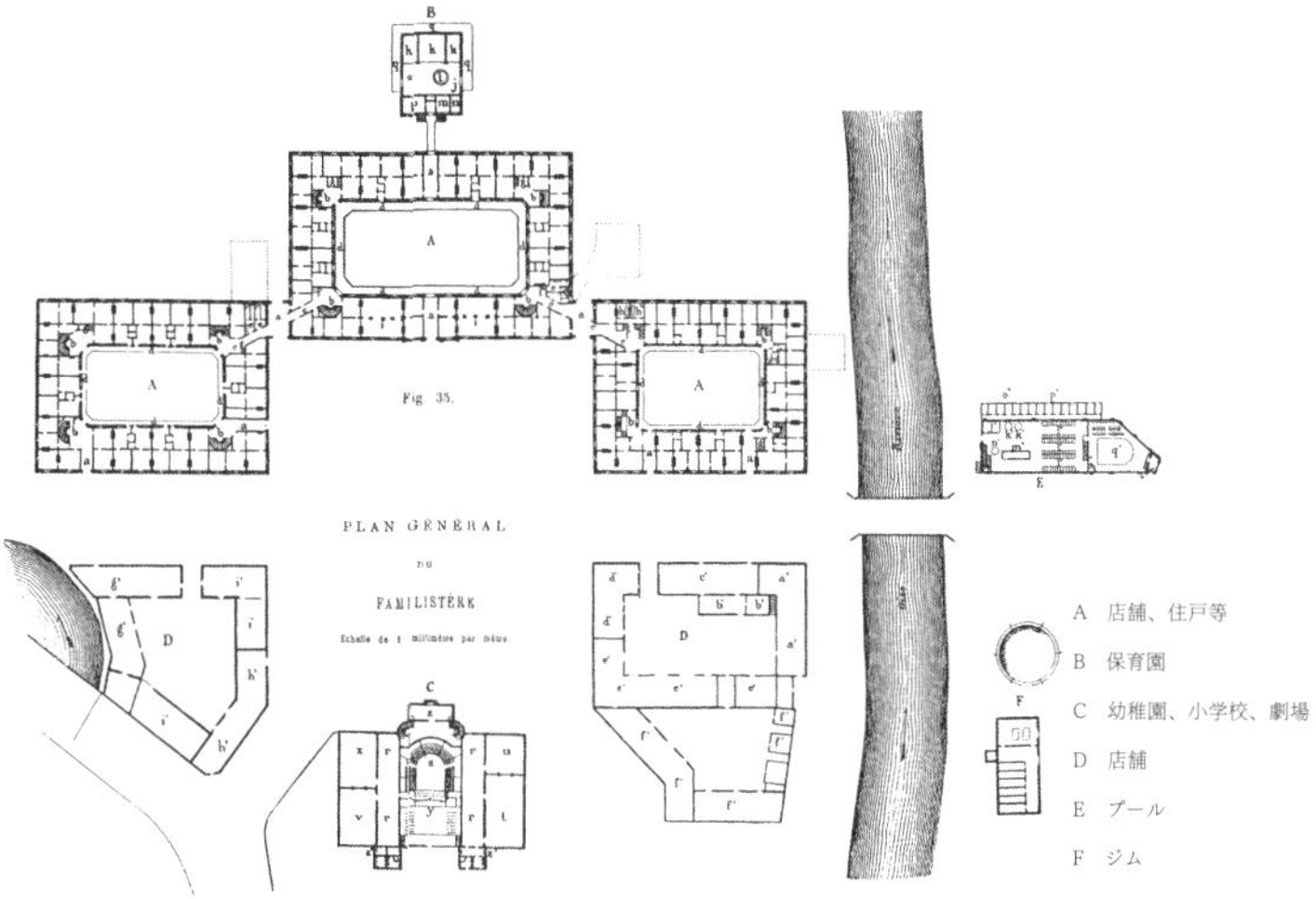

図７　ファミリステール②（出典：ベネヴォロ『近代都市計画の起源』104-105頁）。

図９　ファミリステール④（著者撮影）。パレ・ソシアルの外観。この正面広場を挟んで撮影者の背中側に劇場や学校がある。

図８　ファミリステール③（著者撮影）。アトリウムを囲んで配置された住戸。アトリウムはイベント広場であった。

図10　ファミリステール⑤（出典：« Le familistère de Guise »）。ダンスは最も重要なイベントだった。住戸にアクセスするための廊下が見物ギャラリーになった。

て、全体が一つの宮殿のように見えることが意図されている。実際、この建築は『パレ・ソシアル』と呼ばれていたのである」（« Le familistère de Guise » より。杉貴子氏による抜粋・訳。以下の引用も同様）。アトリウムに面して一階部分には食料品店と雑貨店あるいは薬局や医療サービスのための場所が用意されて、住民は「パレ」を離れることなく日常生活のための利便性を手に入れることができた。アトリウムは、子供たちが、朝、正面広場の反対側にあるファミリステールの小学校に向かうために集まる場所であり、お祭りのための場所である。子供のお祭り、お祭り、労働者のお祭り、季節ごとに様々な行事が準備された。バルコニーから見下ろす観衆（ファミリステーリアン）の下で、舞踏会、演劇、授賞式などが行われたという（図10）。

一八七〇年にオワーズ川のほとりに建設された「風呂・洗濯室・プール棟」は四つの部屋で構成されている。風呂場、洗濯室、悪天候の時に利用される乾燥室、そしてプールである。「パレ・ソシアル」と工場のちょうど中間地点に建設されたために、工場から帰宅する労働者にとってとても好都合だった。プールの水槽の面積は五〇平米ほどで水深は二・五メートル、水深を調整する可動式の床があるために、異なる年齢の子供たちが安全に水泳を学ぶことができた。風呂場と洗濯室とプールが一体になっているということは、ファミリステールの住民の衛生と健康への配慮であったと同時に、温水を効率よく使うためである。

一八六五年には劇場と学校が完成している。学校は中央パビリオンの北側に位置する幼稚園と共に子供たちを教育するための最も重要な建築であった。生まれて一五日から四歳までの子供のための保育園、四歳から六歳までの子供たちのための幼稚園、そして六歳から一三歳の子供たちのための小学校。こうした教育施設によって子供たちはゆりかごから職業生活への参入まで手厚く教育された。教育費は無料である。さらに劇場は高等教育のための場所である。ファミリステールの演劇グループとオーケストラのリハーサルと発表の場所として使われ、コメディーやドラマは、教育であると同時に住民の娯楽の中心であった。社会主義の実験の目的を説明するゴダンのレクチャーも企画されていた。このように劇場は、ファミリステーリアンの社会民主主義の活動を実践する場所であった。

こうした建築的な提案と同時に労働と資本の協同アソシエーションの仕組みをゴダンはつくろうとした。フーリエの“sociétaire”である。資本と労働力、そしてその利潤、それらの公平な分配を目指そうとしたのである。「association この語がオウエンらによって濫用されており、誤解を招く恐れがあるとして、フーリエは sociétaire なる語を用いようとする」（五島茂・坂本慶一責任編集『オウエン サン・シモン フーリエ』五五一頁）が、ゴダンは“assosiation”という言葉を採用した。“sociétaire”と“assosiation”はほとんど同義語だったのである。その組織形態を表すと共に、それはある限定された空間と共にある組織形態だった。同じ空間の中に共に住むということがアソシエーションの大前提だったのである。

従業員は同時にアソシエーションのメンバーであり、給与に加えて会社への資本参加の権利が与えられ、会社の利益が従業員に還元される仕組みをつくったのである。従業員は徐々に会社の所有者になり、アソシエーションを運営する運営顧問や産業顧問として、取締役や経営者をサポートする役割を担うのである。実際に、ファミリステールはゴダンの会社からアソシエイツによって運営される会社組織に変わっていった。そのアソシエイツはヨーロッパ全体の市場開放による価格競争の影響や相続問題などによって一九六八年（五月革命の年である）にそれが解散されるまで会社運営を続けた。

同じ空間に共に住み、生活支援施設を充実させ教育し、さらに運営に参加する仕組みをつくったのである。フーリエの言う sociétaire を実現しようとしたのである。その sociétaire のための建築空間がファミリステールである。

散々に非難された共同体的モデル

一八五一年に竣工したシテ・ナポレオンもまた中央にガラス屋根のかかったアトリウムを持っている（図11、12）。ルイ・ナポレオンによる労働者階級救済のための集合住宅である。「ナポレオン三世は、一八四八年に、フーリエ主義グループの一員であった」（ベンヤミン『パサージュ論』第四巻、一七八頁）という。アトリウムを囲んで住戸が配置されるその構成はファミリステールと同様である。共用施設として、幼稚園、そして地域住民にも開放された浴場、乾燥室、そして各階にいくつかの便所と共同の流しがあった。小さなキッチンが各住戸に設置されていた。アトリウムに面する住戸の窓は透明ガラスで、ガラス屋根からの自然光が部屋の中にも十分に採光されるように設計されている。最近、訪れてみたが、文化財に指定されているとはいえ、いまでも市営住宅として普通に使われていた。いくつかの住戸は分譲されて住戸内にキッチンやサニタリーが設えられている。住戸の玄関前の小テラスにはテーブルや椅子が置かれて、住民同士が自然に顔を合わせることができるように設計されていることが分かる。

ところが完成した当時、このシテ・ナポレオンもファミリステールも散々に非難されたのである。

図11　シテ・ナポレオン①（出典：中野隆生『プラーグ街の住民たち』20頁）。ロの字型の住戸配置。ガラス屋根の下はイベントの場所として想定されていた訳ではない。

図12　シテ・ナポレオン②（撮影：Masanori Omori）。ガラス屋根の下は住戸へのアクセスのためのブリッジ。住民同士が顔を合わせられるような空間にも見えるし、監視される空間のようにも見える。

これこそ社会主義であるという批判である。フーリエ主義と社会主義とは当時、極めて近い関係だと思われていた。というよりも、当時の人たちはフーリエ的住み方を実際に目の当たりにして、それを社会主義的生活様式として理解しようとしたのである。『共産党宣言』が書かれたのが一八四八年である。パリの二月革命の年である。シテ・ナポレオンの完成はその三年後である。ファミリステールは一二年後である。社会主義という言葉に対する漠然とした不安を多くの人たちが持っていたときに、共同的な居住形式はそのまま社会主義であると多くの人たちは受けとめた。だからこそ、ファミリステールに対しても、あるいはシテ・ナポレオンに対しても、その批判は痛烈を極めたのである。自由が無いという批判である。

ゾラは……自分は集散主義は好きになれない、それは狭量で空想主義的だと、はっきりと断言した。（ベンヤミン『パサージュ論』第四巻、一四五頁）

ファミリステールでは喜びもダンスも笑いもすべてが予定されている。（ジョン・ロゼイロ（一八九六年）、中野隆生『プラーグ街の住民たち』二七頁より引用）

実際このシテ・ナポレオンを設計したマリー＝ガブリエル・ブーニュという建築家はパリのマザ刑務所（Prison de Mazas）をつくる時にその工事監理をしている。マザ刑務所はパノプティコン（一望監視）の形式の影響を受けた刑務所である（図13）。一八四一年に完成している。この当時、刑務所も

図13　マザ刑務所（出典：Michel Balmont（http://michel.balmont.free.fr/pedago/rimbaudouai/illustrations/mazas2.jpg））。

また改革の時代だった。「一方では権力者、他方では建築家が知らなければならないのは、監獄の計画が刑罰緩和の方向において、つまり罪人の改悛の制度において、しかも民衆の諸悪の根源にさかのぼりつつ、実施されるべき美徳の復活原理となる法制に合致したかたちで考えられるべきかどうかである」（L・バルタール『監獄の建築図』、フーコー『監獄の誕生』二四七頁より引用）。監獄は単に刑罰のためではなくて、受刑者の人格改造の場所だと考えられたのである。パノプティコンは囚人自らが主体的に自らを従順な被管理者として規律を守るように教育し訓練する装置である。パノプティコンという空間システムを発明したジェレミー・ベンサム（一七四八―一八三二年）は、建築空間のつくられ方によって、被管理者（受刑者）を従順な主体としてつくりかえることが可能だと考えたのである。住人を管理するという見方に立てば、このアトリウムを囲む住戸配置はそのまま監視施設である。シテ・ナポレオンは住人がその内面まで管理される監視システムであると受けとられたのである。これこそが社会主義というものである。当時の人々はそう考えた。

労働者を善導する

シテ・ナポレオンは独房の監視と全く同じように住人の内面までが侵害される空間配置である。プライバシーがない。家族という親密な関係の中にまで管理空間が介入するという批判である。家族というプライバシーを守ることは、一夫一婦制、良妻賢母というキリスト教的モラルである。その親密な空間は外から守られなくてはならない。それぞれの家族が非常に近接して配置されるその空間配置が、そのモラルに対する挑戦と受け止められたのである。実際、住宅の中に家族以外の同居人がいる（部屋貸し、ベッド貸し）のはこの頃、都市に住む労働者たちにとっては日常化していたというのが実態だった。労働者には性的モラルがない。都市に住む労働者の実態が既にそうであるように、共同居住は「1住宅＝1家族」という家族の親密な空間を破壊し、良妻賢母、貞操というモラルを破壊すると考えられたのである。家族のプライバシーの内側にまで介入して、それを破壊するのが社会主義、共産主義である。「託児所のおかげで労働者の妻は母親という高貴な義務から引き離される。もう一歩進めば、共産主義という鉛の帽子が頭にかぶせられることだろう」（ジュール・ムーロー（一八六六年）、中野隆生『プラーグ街の住民たち』二六頁より引用）。

社会主義というのはこの頃、必ずしも一定の意味を持った言葉ではなかった。トクヴィルが観察したように様々な社会主義があり得たのである。社会（société）という新しい言葉と共にその社会の直接的な当事者になることができるという側面と、従来までの体制の破壊者であるという側面とが錯綜していた時代に、この建築空間は「社会主義」を象徴する空間として極めて説得力があった。この建築空間を見て、なるほどこれが社会主義というものか、自由がない、これこそが社会主義だ、多くの人がそう思ったのである。

こうしたフーリエ主義的な住宅計画では、ファミリステールでも見たように、労働者たちを教育し善導しようとする意識が極めて強かったと言っていい。外側から見れば、善導とは彼らを標準化に導こうとする管理主義である。シテ・ナポレオンにおいても、供給側には労働者の管理という意識が極めて強かった。それは、親密な家族をそれぞれに孤立させるようなミュルーズ労働者都市の住宅計画においても同様である。プライバシーをその構成原理とする住宅計画もまた一方の管理システムである。住宅計画とは、この時代、労働者を管理し、そして「諸悪の根源にさかのぼりつつ」彼らを善導するシステムそのものだったのである。それが「一方では権力者、他方では建築家が知らなければならない」ことだったのである。ミュルーズ労働者都市においては各住宅は隔離され相互に切り離される。そして、その上位の空間は直接的な管理空間だった。一方のフーリエ主義的な住宅計画では住宅の集合が一つの〝association〟あるいは〝sociétaire〟という中間集団をつくる。その中間集団を管理するという方法である。後者が監視空間、社会主義的空間というレッテルを貼られたために、その後の住宅計画では前者のような計画が中心になってゆく。

5　〝物化〟という概念

思想は〝物化〟されることによって共有される

ミュルーズの労働者都市、あるいはファミリステールやシテ・ナポレオンのような建築空間を実際に見て、それを体験することによってその思想をリアルなものとして実感する。ミュルーズ労働者都市においてはその相互に隔離されたような住宅に住むことによって〝親密な家族〟とはなにか、プライバシーとはなにか、その思想を実感し共有したのである。そして、ファミリステールやシテ・ナポレオンによって共同体とはなにか、〝社会主義〟とはなにか、その思想を、リアルなものとして実感したのである。そうした建築空間のあり方を〝活動と言論と思考〟の〝物化（materialization）〟という（アレント『人間の条件』一四九頁）。

〝活動と言論と思考〟は〝物化〟されない限り、リアリティを持つことがない。〝活動と言論と思考〟はそのままでは触知できない。活動し、語り、考えられることはその瞬間に消え失せてしまうからである。そうした「触知できないもの」を「触知できる物（the tangibility）」に変形することによって、それらははじめてリアリティを得、持続する存在となる。〝活動と言論と思考〟は「見られ、聞かれ、記憶され、次いで変形され、いわば物化されて……要するに物にならなければならない」（同頁）。中でも建築空間は、外形の〝現われ〟を持ち、それによって都市と関わり、その内部は人間の諸活動を外部から守り、あるいは他者を招き入れる空間である。触知できる様々な「物」の中でも極めて大きな影響を私たちに与える。建築空間を実際に体験することによって、建築空間と共にその思想をリアルなものとして私たちは感じることができるのである。〝ネメイン（壁）〟として〝触知（tangible）〟できない限りポリスの法〝ノモス〟はそれを〝共同体が共有する制度〟として認識することができない、という〝ネメイン〟と〝ノモス〟の関係である。建築空間は〝活動と言論と思考〟の〝物化〟なのである。

住宅の改革は小ブルジョア的改革である

この〝物化（materialization）〟というのはアレントにおいて極めて重要な概念である。触知できないものを触知できる「物」に変換する、それが〝物化〟である。〝活動と言論と思考〟という、そのままでは他者からは触知できないものが「思想あるいは観念の様式（patterns of thought or ideas)」（『人間の条件』一四九頁）として他者と共に共有されるものになるためには、それらは〝物化〟されなくてはならない。〝物化〟されることによって、それらは「世界の物」となって、「はじめてリアリティを得、持続する存在となる」（同書、一四九、一五〇頁）。リアリティというのは他者と共有しているという実感である。私たち建築家の仕事は〝物化〟に関わっている。それも深く関わっている。だから、アレントが何を言いたいのかとても良く分かる。〝物化〟とは〝活動と言論と思考〟が〝物化〟されるのである。でも、それは一方通行ではない。〝活動と言論と思考〟が〝物化〟されるという一方向の方向性だけではなくて、〝活動と言論と思考〟が逆にその〝物化〟された物によって影響を受ける。〝物化〟されることによって〝活動と言論と思考〟が〝思想の様式〟として共有される。アレントはそう言う。〝物化〟は思想の共有と深く関係しているのである。シテ・ナポレオンやファミリステールを見て、その思想（社会主義という思想）を実感し共有する、それが〝物化〟である。

分かりにくいと思うのは、〝物化〟は〝活動と言論と思考〟が〝物化〟されると私たちが思い込んでいるからである。例えばそれは、住宅を作るにしても、家具を作るにしても自動車をつくるにしても、あるいは本を作るにしても、物として実現するためにはそれにさきだって内容があるという私たちの思い込みである。内容を決める人がいる。その後に〝物化〟する人がいる、という順番で〝物化〟が行われるという思い込みである。〝物化〟という概念は近代社会の住人である私たちには最も理解が難しい概念である。〝物化〟に先立って〝活動と言論と思考〟がある。それが〝物化〟されると私たちが思い込んでいるからである。さらに、〝思考する人〟とそれを〝物化する人〟とが二者に分かれる。役割が分担される。それが近代に固有の理解の仕方である。建築は機能的につくられる、という思い込みは正にそのような理解によっているのである。機能的であるべきだという命令に従う。何をもって機能的と考えるか、それを決めるのは命令する側の特権である。その命令に従う。手段としての建築という考え方が成り立つ所以である。〝物化〟に先立ってそれを〝物化〟させる命令がある。

思想は建築に先立ってある。その思想に従属することが建築の設計である。それが機能的という意味である。それは今でも多くの人たちにとって疑う余地のない〝常識〟になっているように思う。だから、建築がその逆の役割を演じる時には、常にそれはユートピアのように見える。絵空事のように見える。逆というのは、その建築が何らかの新しい建築的提案をもっていて、その提案が従来の思想によっては理解不能であるような場合である。エンゲルスはそうした建築的提案を空想的だと言った。フーリエのファランステールやゴダンのファミリステール、ロバート・オウエン（一七七一―一八五八年）のニュー・ラナークにおける紡績工場の実験はエンゲルスによれば「空想的社会主義」である。エンゲルスが空想的と言ったのは、彼らの建築的実験は単に偶発的な思いつきにしか過ぎないという理由である。彼らによる社会主義はそれを歴史概念だと認識していない、それに先立つ思想がない。根拠がない。だから空想的なのである。

彼ら（フーリエやオウエンあるいはゴダン）にとって「社会主義とは絶対的真理、理性と正義の表現であって、それを発見しさえすれば、社会主義はそれ自身の力によって世界を征服するものである、そしてまた、絶対的真理というものは、時間や空間はもとより人間の歴史的発展とも無関係なものであるから、それがいつどこで発見されるかは単なる偶然である」（エンゲルス『空想より科学へ』四八—四九頁）。つまり様々な社会主義がありえる。だからその各派にとっては「何よりも新しいより完全な社会制度を発見すること、それを宣伝し、またもしできるなら模範的実験の実例をつくって、外から社会に押しつけることであった。このようにしてこれらの新社会理論が空想的であったのはさしあたりしかたのないことで、かれらがその細目を描けば描くほど、それはますます純然たる幻想となった」（同書、三八—三九頁）。

そうした実験はそれがいくら緻密であったとしても偶発的な実験でしかない。プロレタリアートの解放という「歴史的発展」とは全く無関係である。そうした偶発的な労働者対策は「歴史的発展」という歴史認識に対してむしろ弊害になる、とエンゲルスは考えていた。エンゲルスは住宅改革という視点そのものに批判的だったのである。住宅を改革しても、労働者問題は解決しない。それは単なる小ブルジョア的改革である。「労働者と近代の大都市の小ブルジョアの一部の住宅難は、今日の資本主義的生産方法に由来する無数の、ヨリ小さい、第二次的な弊害の一つである」（エンゲルス『住宅問題』二二頁）。住宅難を住宅の問題として解決しようとしても、そうした方法自体は労働者問題とは何ら関係しない。「住宅難を失くする方策はただ一つであろう、それは支配階級による労働階級の搾取と圧迫とを一般的に排除するしかないであろう」（同頁）。つまり、いずれは「政権の独裁にまで成長したプロレタリアートにより、社会の名において、生産手段のすべての所有を獲得する」（同書、九頁）。それによって住宅問題は自ずと解決する。エンゲルスにとっては、住宅問題はそのような二次的問題でしかなかったのである。オウエンやサン・シモン、フーリエを空想的社会主義者と呼ぶ一方で、プルードンやエミール・ザックスの現実的住宅改革を「小ブルジョア社会主義」（同書、二五頁）と断言して切って捨てる。

「知」と「行為」のプラトン的分離

ピエール・ジョゼフ・プルードン（一八〇九—六五年）は印刷職人であった。植字工から始まって親方にまでなるという経歴を持っている。一時は経営者でもあった。その経験から協業という意味が良く分かっていた。「相互主義のアイデアにそって経済問題解決の糸口を金融の場面に求め、『人民銀行』という名の相互信用金庫の創設を企てた。新聞『人民の代表』を発刊し、銀行計画のアピールに努める」（的場昭弘ほか編『新マルクス学事典』四三六頁（斉藤悦則執筆））というように労働者だけではなく職人、親方、商店の経営者をも含めた〝人民〟の救済を実践しようとした。「私的所有の弊害を見て共有の賞揚に向かうのはありがちな図式だが、こうした共産主義に永遠の楽園を期待するのは愚劣かつ危険である」（同書、四〇八頁）とマルクスを批判し、「すべての労働者は、自己の、彼に所属する住宅をもたねばならぬ」（エンゲルス『住宅問題』三六頁）と言う。一方のエミール・ザックス

（一八四五―一九二七年）はオーストリアの経済学者である。一八六九年に書かれた著書で、ミュルーズの例を参考にしながら「大都市では安価な土地は周辺部だけなので、周辺部に一戸建てを集めた労働者居住地を設ける。生活上の必要の充足は共同施設によっておこなわれる。郊外への居住地形成(Colonisation)こそが住宅改革の頂点である。そのため、安価な交通手段により居住地を都市や労働市場と連絡する必要がある」（北村昌史『ドイツ住宅改革運動』三五四―三五五頁）という後の田園都市の原型のような提案をしている。そうした提案が小ブルジョア主義と批判されたのである。

こうしたエンゲルスの考え方は、今の私たちにも非常に大きな影響を与えているように思う。多くの私たちもまた住宅問題は社会問題であり政治的問題だと思っている。建築化すること、つまり〝物化〟は政治的決断の後にやってくる。それが今の私たちの考え方である。つまり、建築の問題は二次的な問題である。その二次的な問題を、いかにも社会を変革する重要な問題として考えるような、そのような視点そのものがいかにもユートピア的である。今でも、多くの人たちはそのように思っていると思う。「今日の大都市には、それを合理的に利用さえすれば、『住宅難』を即時に緩和するに足るだけの住宅が、すでに十分あるということだけはたしかである」と言ったのはエンゲルスである（『住宅問題』四二―四三頁）。どのような住宅なのかというその質あるいは住み方を全く問わない、単に数値だけに置き換えた発言である。今も、住宅問題は二次的問題に過ぎないと思っている多くの人の考え方である。

それはさらに以下のようなことを意味している。「知と行為のプラトン的分離」である。それは「あらゆる支配の理論の根本にあるもの」（『人間の条件』三五四頁）である。政治的決断が「知」である。「知を命令＝支配と同一視し、活動を服従＝執行と同一視した」（同書、三五五頁）というプラトン的分離である。つまり、〝物化〟を命令する者が「知」を表象し、その命令を執行する者が「服従」を表象する。それが支配の理論の根本なのだということである。エンゲルスの「空想的」という指摘、あるいは住宅は二次的問題に過ぎないという指摘は、この命令↓執行の関係そのものを前提としているのである。〝物化〟を命令する者とそれを執行する者との関係である。労働者問題を〝命令〟なしに、単なる住宅問題として矮小化してそれを執行する者に「知」を認めない。「知」はエンゲルスの側にある。労働者問題は歴史問題であるということを知っているエンゲルスこそが「知」であり、命令する根拠がある。その命令に従う〝物化〟それ自体は、それ故に「ヨリ小さい、第二次的な」問題なのである。

こうした〝物化〟を巡る考え方は、今の私たち自身の考え方である。〝物化〟を命令する者とそれを執行する者との関係は、今でも私たちを呪縛しているのである。私たちは気がつかないが、でも確実に私たちの内に潜んでいる。そして、その私たちの内に潜むその命令・執行の考え方こそが、管理社会の本質なのだということをアレントは見抜いていた。それがいかに危険なことか。実は、それこそが官僚制的管理社会（国家）の本質なのである。

〝物化〟に先立って根拠のある〝知〟があるわけではない。〝知〟と〝物化〟は一体的なものである。というよりも、むしろ〝知〟の根拠が〝物化〟なのである。〝知〟は「触知できない」。それを「触知できる物」に変形することによって、それらははじめてリアリティを得、持続する存在となるのである。命令はそれが〝物化〟されることによって、リアリティを得、いかにもその命令に根拠があるかのように見える。それが「支配の理論の根本」なのである。

第二章

「世界」という空間を餌食にする「社会」という空間

1　労働は労苦なのか生きがいなのか

機械は労働の喜びを持たない

「最近われわれは分業という文明の偉大なる発明について大いに研究し、大いにそれを究めてきた。ただし、この命名はまちがっている。じつは分割されているのは労働ではない。人間である。人間が分割されて、たんなる人間の断片にされてしまっている」と言ったのはジョン・ラスキン（一八一九―一九〇〇年）である（『ゴシックの本質』三九頁）。一八五三年に書かれた文章である。ロンドン万博でヘンリー・ロバーツがアルバート館をつくったその二年後である。ミュルーズの労働者都市の第一期工事が始まった頃である。

ラスキンはこの頃、イギリスでもっとも影響力のある批評家だった。ゴシック建築をつくった労働者や職人がいかに生き生きしていたか、ゴシック建築がいかに自由な様式なのか、ラスキンはそれを強調する。ギリシア建築やローマ建築に比較して、当時、ゴシックの建築様式は野蛮な様式だと思われていたのである。ゴシック（Gothic）はゴート族（Gotho）の様式を意味していた。蔑称だった。そのゴシックの建築様式を高く評価してその装飾には思考の自由があると言ったのである。

「そこに見られるむかしの彫刻師の途方もない無知をあなたはたびたびあざ笑ってきた。あの醜い子鬼（ゴブリン）や不格好な怪物、解剖学を無視したぎこちない姿のいかめしい彫像をいま一度吟味していただきたい。だがそれらをあざ笑ってはならぬ。なぜなら、それらは石を刻んだ職人ひとりひとりの生命と自由のしるしなのだから。それは思考の自由と人間という存在の位の高さをしめすもの」

（同書、三六頁）である。

その不格好な彫像はその石を刻む職人が、今もそこに生きている証である。ところが分業化されて「分割された人間」は機械でしかない。「機械へと堕落」（同頁）した人間はそこに生きている証を持たない。機械は労働の喜びを持たない。ラスキンはゴシック建築、そしてそれをつくった人びとを高く評価する一方で、「労働」から喜びが失われたそのような産業化社会を厳しく批判したのである。産業化社会とは「人びとがパンを得るための仕事に喜びがまったくないということであり、それゆえに喜びの唯一の手段として富をもとめている」（同書、三七頁）というような社会である。労働する喜びではなくてそこから得られる金銭が目的になった。金銭が価値になった。ラスキンは労働がただ金銭に結びつくようなそうした産業化社会ではなくて、労働することそのものが目的であり喜びであるような世界をつくらなくてはならないという。

人間を労働から解放する

ところがこのラスキンと同時代のマルクス（ラスキンよりも一歳年上）の考え方は違っていた。労働は喜びではない。労働は労働者階級から解放されるべきものだったのである。マルクスは「労働者階級を解放することではなく、むしろ、人間を労働から解放することを課題にしている」とアレントは言う（『人間の条件』一六〇頁）。マルクスにとっては労働が廃止されるときに「自由の王国」（同書、二〇四頁、注）がはじまるのである。「共産主義革命は……労働を廃止する」（同書、二一〇頁、注）ことを目指したのである。マルクスにとって、労働は喜びどころか苦役以外の何ものでもなかった。実際、この時代「労働は、貧困の避けられない当然の結果」(同書、一六八頁)であると考えられていたのである。労働は生きるための強制労働だった。「労働が罰」(エンゲルス『イギリスにおける労働者階級の状態』上、二三〇頁)だったのである。それが苦役だからである。でも、その苦役は分業によってもたらされるものではない。ラスキンの言うように分業が労働者を機械へと堕落させるのではない。分業は否定されたり肯定されたりするようなものではなくて、むしろ、それは人間の社会的発展のための基本的な条件だとマルクスは考えたのである。「さまざまな国民相互の関係は、こうした諸国民のそれぞれが、その生産諸力や分業や内部的な交通をどのていどまで発展させているかにかかっている」(マルクス&エンゲルス『新訳ドイツ・イデオロギー』八〇頁)。分業は社会と共にさまざまな分業の形態に発展するものなのである。「ある国民の生産諸力がどのていどまで発展しているかは、分業の発展の度合いにもっともはっきりと示される」(同頁)とマルクスは言う。「まず工業労働と商業労働の農耕労働からの分離」(同頁)、そして「これらのさまざまな部門内部での分業」(同書、八〇―八一頁)にいたるまで分業は様々なかたちに進化する。労働者の分業は産業化社会の生産性の躍進にとっては必要な条件なのである。

産業革命があったればこそ人間の労働の生産力が向上して、――こゝに人類あって以来はじめて――すべての人々の内に完全な分業を行い、こゝに社会の全員の十分な消費を満たした上、なお豊富なる準備金をも供給し、その上になお、各人には十分なる閑暇を与え、それによって歴史的に伝承した文化――科学、芸術、社交形式等――の内でほんとうの価値あるものはこれを保存せしめ、いなそれに止まらず、それ等を支配階級の独占から解放して全社会の共有物とし、その上でそれを育てるというような可能性が与えられることになったのである。（エンゲルス『住宅問題』三三頁）

ラスキンが分業を産業化社会に特有の「非人間的」なものだと考えたのに対して、マルクスそしてエンゲルスはそれを歴史的進化の過程だと考えたのである。労働者の解放のためには生産性の向上は必須の条件だった。そして分業こそがその向上を担う核心部分だったのである。

だから労働者はその労苦からは解放されるべきであったとしても分業は必須であった。この時代の多くの人たちと同様、マルクスもまた「かつてみたこともないほど高い西洋人の現実的な生産性にいわば圧倒された」からだとアレントは言う（『人間の条件』一四一頁）。その高い生産性は労働者の「労働力」に起因している。「労働それ自体ではなく、人間の『労働力』はその労働者自身の生命を維持する以上の能力を持っている。「労働力」の剰余が、労働の生産性を説明する」（同書、一四二頁）のである。その労働力の剰余は「一定の方向に結集すれば、何人かの労働だけで万人の生命を十分に支えることができる」（同頁）。労働を分業して、さらにそれを「一定の方向に結集する」（協業）、それが生産性を上げる最も有効な方法なのである。マルクスは分業と協業とを一連のプロセスだと考えたのである。労働の協業のためにはまずその前に分業されなくてはならない。

労働のない労働者の社会

労働力の剰余を適切に配分することによって、つまり労働力の搾取を禁ずることによって「何人かの労働だけで万人の生命を十分に支えることができる」、それでも依然として労働は労苦である。だから、一日にほんのわずかな時間だけ働く。そして残りの自由な時間を「今日ならさしずめ『趣味《ホビー》』とでもいうべき厳密に私的で、本質的に無世界的な活動力に費やすだろうと予見した」(アレント『人間の条件』一七六頁)。さらにそのほんのわずかな労働も趣味のような労働に変えることができると考えたのである。これこそ労働からの解放である。すべての社会的活動が趣味となるような「自由の王国」が実現すると考えられたのである。「無世界的な活動力」という意味は、その活動の結果は後に何も残さない、活動が終わったらそのまま消費されるという意味である。世界の中に何一つ残さない。趣味という活動はただちに消費される。「共産主義社会あるいは社会主義社会では、すべての職業がいわば趣味となる。画家がいるのではなく、もっぱら絵を描くことに時間を費やす人がいるだけである。つまり『今日はこれをし、明日はあれをし、朝は狩りをし、午後には魚釣りをし、夕べには家畜を育て、夕食後には批判をする。彼らはそれぞれ自分の好きなことをするが、そうだからといって狩猟家、漁夫、羊飼い、批評家になるのではない』(マルクス&エンゲルス『新訳ドイツ・イデオロギー』三八頁)」(『人間の条件』二一五頁、注)。狩猟家、漁夫、羊飼い、批評家という分業を専門にするわけではない。さまざまな分業を日々自由に行う。今日はこれをし、明日はあれをする。それだけを専門にしてはならない。それこそ労苦の原因だからである。「同じ仕事を連続してやり続けると、生き生きとしたやる気と緊張が消えてしまう。それらは、活動内容を変えることによって、元気を取りもどし、また息を吹き返すものでもある」とマルクスは考えた（『資本論』第一巻上、五〇二頁）。専門化しない。だから「趣味」なのである。労働者が労働から解放されるということは、全ての人がそのような趣味に生きる社会を実現することなのである。

「人間を〈労働する動物〉と定義づけておきながら、次いで、労働というマルクスによれば最も人間的で最大の力をもはや必要としない社会に、ほかならぬ〈労働する動物〉である人間を導いているということである」（『人間の条件』一六一頁）。「労働のない労働者の社会」（同書、一五頁）である。「このようなはなはだしい根本的な矛盾は、むしろ二流の著作家の場合にはほとんど起こらないものである」（同書、一六〇頁）とアレントは言うが、でも、労働を趣味に変えるというマルクスの野望（というよりもマルクスにとっては必然）はそれ自体として矛盾ではない。単にフーリエと同じユートピアにマルクスもまた住んでいるということを意味しているだけである。

この矛盾はマルクスではなくて、むしろ私たち自身の矛盾なのである。マルクスの「労働力の剰余」という考え方を丸ごと信じ込んだ私たち近代人の矛盾である。私たちは、今、（私たち）労働者にとって労働時間は短ければ短いほどいいと考えている。時間給は高ければ高いほどいい。マルクスと同じように労働は労苦だと考えているからである。でも、ラスキンの言う労働は生の証であった。私たちもまた労働を労苦であると同時に、ときに生の証であると思っている。「仕事が生きがいだ」というのは、やはり私たち（労働者）の一方の実感である。

2　仕事の世界性

「労働」という言葉の矛盾

労働は、フーリエにとっては喜びである。ラスキンにとっては生の証である。マルクスにとっては労苦である。それぞれに違う。労働に対してなぜこれほどまでに異なる解釈が成り立つのか。そして今、この時代、われわれもまた労働に対する解釈がそれぞれに矛盾している状態をそのまま受け入れているのである。つらいこともあるし楽しいこともある。生きがいでもある。でも、それを矛盾だとは思っていない。それは個人的な感情の問題だと私たちは思っている。仕事が労苦だと思うこともあるし、仕事に熱中しているときには、気がついたらそれが楽しいと思っている。その労働の結果が賞賛されたら、やって良かったと思う。それは労働に対する個人的な感情移入の問題で、労働そのものが持っている矛盾ではないと思っている。個人の〝やる気〟の問題である。だから〝やる気のある労働者〟こそが資本家（雇い主）の求める労働者像である。

本当にそうか。

これは「労働」という言葉の使い方の根本的な矛盾なのである。例えば、前記の文章には「労働」という言葉と「仕事」という言葉が混在している。私たちにとっては、労働と仕事とはさして差がない。「仕事が楽しい」、「仕事がつらい」。「過酷な労働」、「労働意欲」。「労働」と「仕事」は同じような概念だと、私たちは信じているからである。それこそが根本的な矛盾なのだとアレントは言う。

労働を担ったのは女と奴隷だった

労働と仕事とは実は全く異なる活動である。ところが、その区別が失われてしまった。近代社会（大衆社会、市場社会）というのは労働と仕事の区別が失われて、全てが労働として認識されるようになった社会である。「人間とは労働する動物である」。でも、「動物に近い原始的本能的な労働形態」（マルクス『資本論』第一巻上、二六四頁）は労働とは呼ばない。「労働者が自分の労働力の売り手として商品市場に登場する状態」（同頁）にあることが労働である。「人間にしか見られないような形態の労働である」（同頁）。つまりマルクスにとっては、労働者の労働力は商品市場で販売される商品である。そして産業化社会とは社会そのものが隅々まで商品市場になった社会なのである。自分自身が労働力という商品だと思っている。それが近代社会（大衆社会、市場社会）である。すべてが労働になったそうした近代社会に私たちもまた、今、住んでいる。だから、労働と仕事の区別が失われてしまっているとしても、その近代社会の内側にいる私たちには、その区別が失われた、ということが分からない。仕事と労働とは違う。でも「普通の人も専門家も、この二つの違ったものを……同じものだと見ている」とアレントは言う（『人間の条件』二二五頁）。「私が主張している労働と仕事の区別は、普通に認められているようなものではない」（同書、一三四頁）、「また近代の労働理論の巨大な体系においても、この私の主張を支持するものはほとんどない」（同頁）と言うのである。「産業革命は、すべての仕事を労働に置き代えたからである」（同書、一八六頁）。

それでは労働と仕事はどう違うのか。

マルクスの言う労働は商品市場で売買される労働力という商品である。フーリエの労働は趣味のようになった労働である。「ファランステールは、逸楽郷のようにしつらえられている。様々の娯楽（狩り、釣り、音楽の演奏、花の栽培、芝居の上演）にも報酬が支払われる」（ベンヤミン『パサージュ論』第四巻、一八六頁）。労働と趣味のあいだに境界線はない。ラスキンの労働は製作である。彫刻師が子鬼（ゴブリン）をつくるという労働である。彫刻という「物」を製作する労働である。でも、それは労働なのか。

それは〝物化〟に関わる活動である。その〝物化〟に関わる活動は労働とは全く異なる。「物」を製作する活動は「労働」ではない。「仕事（work）」である。「労働（labor）」とは全く違う。子鬼は製作された後にいつまでもその場所にあり続ける。ゴシック教会のファサードの一部であると同時に、その作者の意図はときには全体の印象を決定的にする。その彫刻が優れた作品（共同体的に記憶されるべき作品）であれば、作者の名前と共に記憶される。シエナ大聖堂の彫像をつくったジョバンニ・ピサーノあるいはシスティーナ礼拝堂の天井画を描いたミケランジェロ、あるいは《最後の晩餐》を描いたダ・ヴィンチ、私たちは彼らの名前と共にその仕事（a work）を記憶している。それらは建築の一部であると同時に彼らの作品（the work）である。子鬼はそれがいくら不格好であったとしても、その子鬼をつくった作者がいて、その作者の意図と共に、それは五〇〇年以上もそこにあり続けている。人間一人の寿命よりも遥かに長くその場所にあり続けている。現に今生きている私たちによって見られることができる。そうした物をつくる。それが仕事である。

一方、労働とは何か。「労働」を担ったのは古代ギリシアでは奴隷だった。「奴隷（slave）」というのは、敗北したかつての敵（dmōes あるいは douloi）のことであり、彼らは他の戦利品とともに勝利者の家に連れ去られ、そこで家内同居者（oiketai あるいは familiares）として、自分と主人の生活のためにあくせく働いた」（アレント『人間の条件』一三六頁）。〝あくせく働く〟という動詞は英語では“slave”である。「ギュナイコニティス」の労働である。家事労働である。「人間の生命過程」を維持するための労働である。奴隷の労働には自分の意志がない。主人の命令によって主人とその家族の生命を維持する（the maintenance of life）ための労働を日々繰り返す。主人の命令ではなくても、生命を維持するためになくてはならない労働、「生きるための労働」は奴隷的性格を持つと、当時ギリシア人は考えていた。それが「循環する人間の生命過程」にとって必要不可欠な労働だからである。この必要のための労働が労働の本質である。奴隷の労働である。それは人間にとって忌むべきものだった。逆に言えば、「古代の奴隷制は……人間生活の条件から労働を取り除こうとする試みであった」（同書、一三七頁）のである。

「奴隷への転落は運命の一撃によるものであったが、その運命は死よりも悪かった。なぜなら、それとともに人間はなにか家畜に似たものに変貌するからである」（同頁）。かれらはギュナイコニティスの内側（私的領域の奥深く）に閉じ込められた人たちであった。公的領域に出ることは許されない。労働することによって、単にその肉体が消費されるだけである。労働の後になにも残らない。奴隷とは「見られない聞かれない人」である。見られる権利、聞かれる権利を剝奪（privative）された人である。奴隷たちがもっとも恐れたのは、そうした無名状態にあることだった。「無名状態にあるために、自分たちが存在していたという痕跡をなに一つ残すことなく去らなければならない」（同書、八三頁）。〝この世界に存在したという証〟を何一つ残すことなく死んで行かねばならない、それが奴隷であることの最大の恐怖だったのである。

「仕事」の世界性

そうした労働する奴隷に対して仕事をする者たち(demiourgoi)は「私的領域の外にある公的領域の内部を自由に動いていたのである」(アレント『人間の条件』一三六頁)。“demiourgoi”は“workman”である。〝仕事人〟である。あるいは〝工作人(homo faber)〟である。「fabriという言葉は、とくに建設仕事人や大工を意味している」(同書、二七四頁、注)。工作人は世界の中に耐久性のある物をつくる、それが仕事であった(同書、二二四頁)。世界とはポリスのことである。ポリスの城壁をつくり、神殿をつくり、アゴラをつくり、家と家との境界をつくり、家をつくる。ポリスという都市のすべてがそうした触知できる「物」としての工作物によってできあがっている。工作人の仕事は触知できる工作物をつくることであり、その工作物によって「世界」をつくることである。さらに、重要なのはその「世界」は一人の人間の寿命よりも遥かに長い時間に耐える耐久性を持っているということである。「『仕事人』とは、最も卑しい職人から最大の芸術家にいたるまで、人間の工作物にもう一つの、できれば耐久性のある物をつけ加えることに従事している人びとである」(同書、一四六頁)。「世界」は耐久性を持っていなくてはならない。アレントは「世界」という言葉を極めて具体的なものとして考える。「世界」は工作人のつくる人工物によってできあがっている。「自然」は生命の循環を繰り返す「生命過程」にある。自然は日々朽ち果てては生成する。繰り返されるのは生命の再生産という循環運動である。それに対して「世界」は常に同じ現われ(appearance)を持ってそこにある。「自然」という日々朽ち果てては生成する空間に対して、それとは対立する永続性を持った空間が「世界」である。

世界は、絶えざる運動の中にあるのではない。むしろ、それが耐久性をもち、相対的な永続性をもっているからこそ、人間はそこに現われ、そこから消えることができるのである。いいかえれば、世界は、そこに個人が現われる以前に存在し、彼がそこを去ったのちにも生き残る。人間の生と死はこのような世界を前提としているのである。だから人間がその中に生まれ、死んでそこを去るような世界がないとすれば、そこには、変化なき永遠の循環以外になにもなく、人間は、他のすべての動物種と同じく、死のない無窮の中に放り込まれるだろう。（同書、一五二頁）

アレントの「世界」のイメージは古代ギリシアのポリスである。ポリスは記憶装置であった。そこに住む人々が死んでそこを去るとしても、その人がそこにいたこと、そこで活動していたことを記憶する装置がポリスである。「ポリスという組織は、物理的にはその周りを城壁で守られ、外形的にはその法律によって保証されているが、後続する世代がそれを見分けがつかないほど変えてしまわない限りは、一種の組織された記憶である」（同書、三二九頁）。その人がどの家で生まれて、どのような活動をしたか、どこでどのように死んでいったか、ポリスという空間はそれを記憶する記憶装置であった。人びとはそこを去った後も自分は記憶されているという確信を持つことが出来たのである。神殿もアゴラも町並みも家も、そして炉辺も。そうした「物」が、自分が消え去った後にも変わらずにそこにあり続けると信じたからである。そのポリスが「世界」である。その世界をつくることが〝仕事人〟の「仕事」である。アレントは、だから「仕事の人間的条件は世界性である」と言う。世界の「物」をつくること、それが「仕事」の本来的な意味である。

「ヘラクレイトスは、人間は二度と同じ流れの中に入ることはできないといったし、人間の方も絶えず変化する。それにもかかわらず、事実をいえば、人間は、同じ椅子、同じテーブルに結びつけられているのであって、それによって、その人間の同一性、すなわち、そのアイデンティティを取り戻すことができるのである。世界の物の『客観性』というのはこの事実にある」(同書、二二五頁)とアレントは言う。もう少し正確に言うと、「世界の物」としてのテーブルであり椅子である。その「世界の物」は「物理的に人びとの間にある」(同書、二九六頁)。「つまり人びとの間にあって、人びとを関係づけ、人びとを結びつける何物かを形成する。ほとんどの活動と言論は、この介在者(in-between)に係わっている」(同頁)のである。椅子やテーブルや炉辺、家や神殿やアゴラが介在することによって、「人びとを関係づけ、人びとを結びつける」ことができるのである。「人びとを結びつけると同時に人びとを分離させている」(同書、七九頁)。それが「世界の物」である。それに対して、近代社会(大衆社会、市場社会)とは物がその「物の世界性」を失った社会である。物が単なる機能になった社会である。「テーブルの周りに集まった多くの人びとが……突然テーブルが真中から消えるのを見る。そうなると、互いに向き合って坐っている二人の人は、もはや、なにか触知できるものによって分離されていないだけでなく、互いに完全に無関係となる」(同頁)。近代社会とはそのような社会である。介在する「物」のない社会である。物によって人が相互に結びつけられることのない社会である。ミース・ファン・デル・ローエ（一八八六―一九六九年）はそうした物によって相互に結びつけられることのない社会を前提にして、そのような社会に奉仕する建築空間を「ユニバーサル・スペース」と名づけた。社会に負荷を与えないような建築である。「人びとを関係づけ、人びとを結びつける」ような建築空間はむしろ社会に負荷を与えるとミースは考えたのである。社会という空間は自由な空間でなくてはならない。負荷を与えてはならない。そして実際にそのような建築を設計しようとした。どのような要請にも自在に答えられる自由な建築である。原広司はそうしたミース的建築空間を均質空間と呼んだ。「物の世界性」が失われた建築空間である。今の私たちの社会の建築である。

3　世界から社会へ

「物」がすべて消費のための商品になった

仕事と労働の区別が失われた社会が近代社会である。そこでは〝仕事人〟もまた労働者である。「世界の物」をつくる人ではなくて、消費される商品をつくる人である。「物」の価値は耐久性ではなくて、商品市場で交換される商品としての価値になった。

仕事と労働の区別が失われたのは産業革命以降、分業という生産システムによって、個々の労働者の労働力が飛躍的に拡大したからである。そのために仕事も労働もすべてが労働と見なされるようになった。分業化された労働である。仕事も分業化される。分業の対価は時間給という金銭である。その結果、あらゆる「物」の価値は金銭になった。ラスキンが言うように「金銭が価値になった」のである。それは、あらゆる「物」がただ金銭との関係においてのみ存在するということを意味している。「そこではすべての物が交換可能な価値（value）、すなわち商品になる」（アレント『人間の条件』二六一頁）。消費のための商品になった。商品という意味は、「絶えず変化する需要供給の評価」（同書、二六二頁）の中にあるという意味である。評価は「交換市場」において絶えず変化する（同書、二五九頁）。相対的である。もはや「『客観的』価値（worth）」（同書、二六二頁）を持つものはない。「『客観的』価値」というのは「物それ自体の客観的な質であって、それは、『個々の買手や売手の意志の外部にあり、好き嫌いに関係なく、その存在をともかく認めなければならぬ物それ自体に固有のなにか』である」（同書、二六〇頁）とアレントは言うが、物がその客観的な価値を持つという意味は「世界の物」としてあるという意味である。「世界」をつくる壁や家、その中のテーブルや椅子、それははるか昔から使ってきたテーブルや椅子である。あるいは炉辺、それらの物は商品ではない。何物とも交換できない。いつも変わらずその場所にある。人と人との間にあって人々を関係づけ、人々を結びつける。物は世界においてそれが占める場所と共にある。物の客観的価値というのはそのような価値である。物は「世界の物」としてそこに存在し続けなくてはならないのである。ところが近代の消費社会はそうした「物」をすべて消費のための商品にしてしまったのである。その消費社会が現にいま私たちが住んでいる「社会」である。

消費社会あるいは大衆社会というときの「社会」は耐久性のある「世界」と対立する概念である。『『社会的（social）』という言葉はローマ起源のものであり、ギリシア語にもギリシア思想にも、それに相当する言葉はない」（アレント『人間の条件』四四頁）。「社会」という言葉のラテン語的用法は“societas”である。「この言葉は、人びとが他人を支配したり、犯罪をおかしたりするとき団結するように、ある特別の目的をもって人びとが結ぶ同盟を意味していた」（同書、四五頁）。つまり「社会（societas）」という言葉は、もともとは私的集団を指す言葉だったのである。それが一般的な意味を獲得し始めるのは、ようやくその後、「ヒト〔種としての人間〕の社会（societas generis humani）」（同頁）という概念ができてからである。私たちにとっては「市民社会（civil society）」という言葉が一般化したときに、社会は一般的な意味を持つようになった。私的集団としてではなくて、抽象的な多数者による均質で平板な空間として認知されるようになったという意味である。世界が人間の一生よりも耐久性のある物によってできあがっているとすれば、社会は商品としての物によってできている。社会はその商品が自由に売買されるための自由市場である。商品の価値は絶えず変化する。社会の中の物の価値（value）は絶えず変動する。そうした社会に生きるわれわれのことをアレントは「社会化された人間」（同書、一四三、一八五頁）と呼ぶ。

「社会化された人間」とは賃労働者である。労働と仕事の区別がなくなって、すべての生産物が労働の結果として認識されるような社会の住人のことである。私たちは今、私たちの多くが賃労働者として社会の中にいると思っている。「何らかのかたちで賃労働に従事しないような消費者や市民など、不労所得者（利子生活者）以外には存在しない」（柄谷行人『世界史の構造』四三九頁）と思っている。

実態は別にして、私たちはそう思っている。ラスキンの言うように分割されて断片化された人間として社会の中にいる。「賃労働に従事する」というのはそのような意味である。それが「社会化された人間」である。私たち自身のことである。

社会とは賃労働者の社会であり、賃労働者によって生産される商品を消費する社会である。一方、世界は耐久性のある物によってできている。

建築空間の側から見るとその「社会」と「世界」とは全く異なる。相互に対立する空間概念である。

「世界」は公的領域と私的領域との関係によってできている。その関係は共同体内共同体という関係である。公的領域の中に私的領域があるという関係である。公的領域がポリスである。私的領域がオイコス＝「家」である。「家」は「閾」という空間的装置によって公的領域との関係をつくっている。「閾」によって「家」は世界の中にあることができる。

労働者住宅ではその「家」から「閾」が失われて「住宅」と呼ばれるプライバシーのための空間になった。周辺から隔離された空間である。その労働者住宅の上位の空間は公的領域ではなくて、その住人を一方的に管理するための管理空間である。ミュルーズ工業都市の個々の住宅は周辺から隔離される住宅であった。住宅を相互に隔離させることによって管理したのである。シテ・ナポレオンはその全体が監視される空間のようであった。ファミリステールは訓練し教育するための建築空間のようだった。「社会」における住宅は被管理空間である。一九世紀の労働者住宅から始まった「住宅」という建築空間はそこに住む人びとをいかに管理し、いかに規律を守らせるようにするか、それが供給する側の主題だったのである。

一方で住人の側の意識、つまり管理される側の意識は、自分たちは賃労働者であるという意識である。賃労働者という意識とは「自分たちの行なっていることは、すべて自分の生命と自分の家族の生命を維持する方法にすぎない」（アレント『人間の条件』七一頁）という意識である。「『生計を立てる』ために」（同書、一八九頁）働いている、という意識である。分業化された労働は消費される商品を作るための労働である。自分の分担はとなりの分担との足し算である。全体で一人の人間であるかのような「一者性（oneness）」のそのほんの一部を担うものでしかない。毎日同じ分担を繰り返す労働では、自分という個性の痕跡を残さないことが最も重要である。ばらつきのない均一な商品をつくるためである。「個性や卓越性はむしろ攪乱要因なのである。労働力の均一性のために消してしまわなくてはならないものである」（本書第二章）。

その労働の対価は個性や卓越性に対して支払われるわけではなく、均一な商品をつくるための労働力に対して支払われるのである。労働力とは「人間の血と肉」（マルクス『賃労働と資本』四二頁）である。肉体の消費である。「だから労働力は、あたかも砂糖（という商品）と同じように一商品である。一方は時計で測られ、他方は秤で測られる」（同書、四一頁）。労働と仕事の区別がなくなって、すべてが賃労働になった社会では、対価は時間給である。今、すべての労働の対価は時間で計られる。「労働力は、その所有者たる賃労働者が資本〔家〕に売る一商品である。なぜ彼はそれを売るのか？　生きるためだ」（同書、四四頁）。労働者は自らが生きるために働いている。自らの手によって耐久性のある物を世界に残す仕事をしているわけではない。〝生きるために働く〟――既に述べたように、そのような労働は奴隷的性格を持つ労働であると古代ギリシアでは考えられていた。賃労働による今の（私たち）労働者である。

労働者住宅は家事労働と生殖のための空間である

労働者住宅は古代ギリシアの家からギュナイコニティス（女の部屋）だけが切り取られて、周辺から隔離され密室化された空間であった。その密室の中の活動は「生命の循環過程」である。生きるための活動である。家事労働（the maintenance of life）と生殖（労働力の再生産）のための空間である。つまり、賃労働者は職場においては分業を分担する労働者であり、住宅においては周辺から孤立した密室の住人である。そうした労働者のための空間が社会である。現に今、私たちが住んでいる空間である。

産業化社会、消費社会、市場社会、近代社会、市民社会、ヒトの社会という言葉はすべて「社会」という概念の様々な側面を言い表しているに過ぎない。でも、真に重要なのはそれが「世界」という概念に対立する概念であるということである。

4　鳥のように自由な労働者

都市に乱入した労働者たち

産業革命以降の都市は、コークスの煤煙と産業廃棄物や生活排水の河川への流出、鉄道網による人口の移動、大量に流入する労働者たちによってそれまでの地域社会が崩壊してゆく過程である。「マンチェスターを貫流しているアーウェル川……は……各種の工場や捺染工場のあいだを通るにつれて見るかげもなくなる。そこでは無数の汚物が洗われ、染料工場や漂白工場から山ほどの有毒物を投げこまれるかと思えば、また蒸気機関は、煮えたぎっている中身を川に放出し、放水路や下水道は臭い不純物を流しこむ。……もはや川というよりは糞尿の濁流のような姿である」（マンフォード『歴史の都市　明日の都市』三七七―三七八頁）。「テムズの水質汚濁はついに一八五八年六月にきわまった感がある。このとき、例外的な夏の酷暑と異常に少ない降雨が重なって、全ロンドンが『大悪臭』に襲われた。あたかも議会が開会中で、テムズ河畔に立つ国会議事堂の内部にも大悪臭が侵入し、議員たちはあやうく呼吸困難になるところを、やっと議事堂の窓を石灰の漂白剤に浸したカーテンで覆って難を免れるありさまであった」（角山榮『産業革命と民衆』一七九―一八〇頁）。産業革命の結果、それまで地域社会の生活を支え、その地域社会につり合っていたインフラが全く役に立たないほどに都市が肥大し汚染された。産業廃棄物が大量に発生したからである。そして地域社会の外側から来た多数の労働者たちが都市に住みはじめたからである。彼らは地域社会の住人にとって、全くの他者であった。それまでの都市生活の作法を全くわきまえない、あまりにも異質な人びとであった。「不潔と飲酒癖もアイルランド人がもちこんだ。……マイリージャン〔アイルランド人〕は故国で習慣としていたように、ここでもごみくずをすべて戸口の前にぶちまけるので、水たまりや糞便の山が集まり、労働者街の外観をそこね、空気を悪臭で満たす。故国にいたときのように、マイリージャンは家にくっつけて豚小屋を建て、それができないときには、豚を室内で自分のそばに寝かせる」(エンゲルス『イギリスにおける労働者階級の状態』上、一八三頁)。労働者たちの多くはアイルランドからやってきた、そして土地を手放した農民たちである。元々の都市住民とは全く異質な人びとである。得体の知れない人びとであった。当時、彼ら労働者は労働者階級という以前に、どこから来たか分からない異星人のようだったのである。「ブルジョアジーは彼らのすぐそばに住んでいる労働者とよりも、地球上の他のあらゆる国民とはるかに親近関係にある」(同書、二三九頁)とエンゲルスは言う。それほどに異質だったのである。

そもそも居住専用住宅などなかった

「一シリング・デイには博覧会シーズンの不思議が現われた。事前に噂が流れたような、野蛮な行動や騒動などはまったくの杞憂で、行儀のよい、上機嫌の労働者階級の際限のない流れとなって、目をみはり、びっくりしながら水晶宮の入口を通りすぎた。ガラスに投石するひとりの共産主義者もいなかった……労働者たちの四角い帽子、さっぱりした服装。目をみはったボロ着の子供たち。粗末なピクニックの袋と赤ん坊。持参のジンジャ・ビールといった情景は、富裕な上流人に思いがけない感動を与えた。イギリス人はめったに気持を誇張しないが、この光景をみて、彼らに握手を求めたり、人前で涙を流したものさえあった」(アーサー・ブライアント、角山榮『産業革命と民衆』二八二頁より引用)。「一シリング・デイ」というのは、月曜から木曜のウイーク・デイは特別に安い入場料が設定されていたためにそう呼ばれていた。一八五一年のロンドン万博の情景である。ロンドンという場所にそれまで住んでいた人びとにとっては、労働者は彼らの日常生活の破壊者だった。どこからやってきたか分からないそうした労働者たちは恐怖そのものだったのである。だからこそ彼らが自分たちと同じ人間であることを知って、それに感動して涙をながしたのである。そうした恐怖の人びとをマルクスはプロレタリアートと呼んだ。その言葉自体が画期的だった。どこから来たか分からないそれぞれ相互に全く関わりのない人たちを一つの階級として認識しようとしたのである。そしてそのプロレタリアートに対立して彼らから労働力を搾取する階級がブルジョアジーである。

そのプロレタリアートとブルジョアジーとの階級闘争がマルクスの考えるこの時代の社会である。そこには具体的な空間がない。空間は抽象化されている。われわれは「将来の社会の作り方についてユートピアを描くことを任務とするものではない」（エンゲルス『住宅問題』四二頁）といって、エンゲルスは将来の社会を具体的な建築空間として設計することを拒否する。社会は階級闘争の空間である。労働者たちのあまりにも悲惨な住環境について述べるエンゲルスにとってはその悲惨な状況こそが革命に向かって一気に飛翔するためのジャンプ台なのである。「貧困は第一級の政治的力」（アレント『革命について』九四頁）だと考えられたのである。安易にそれを解決することは小ブルジョア的解決である。小ブルジョアというのは「中産階級、すなわち小工業者、小商人、手工業者、農民」（マルクス&エンゲルス『共産党宣言』五七頁）である。現にそこに住んでその場所と共に仕事をしている人たちである。商業ギルドや手工業ギルドによって土地に縛りつけられた人びとである。

でも、彼らはただ単に土地に縛りつけられていた人びとではない。その縛りつけられた場所こそが彼らの生活の全てを守っていたのである。都市とはそのような場所であった。都市の中で一定の場所に住む人たちはそれぞれに彼らに固有の地域社会をつくっていたのである。産業革命以前の都市は「ギルドの社会的、政治的な側面であった。ギルドの物的な外殻と実際のいずれも、十八世紀まではほとんど変らずに姿を残して」（マンフォード『歴史の都市 明日の都市』二五四頁）いたというから、まだそうした人びとによる強い地域社会の関係（コミューン）が残っていたのである。マルクスの言う小ブルジョアとはその地域社会の住人たちのことである。彼らは居住専用住宅に住んでいたわけではない。そこにはそもそも専用住宅というものがなかったのである。家は仕事場であった。「仕事場がひとつの家族であった」（同書、二六〇頁）。商売のための家である。「街路に面した間口は、商売する人びとにとって非常に重要であったので、すべての人びとに与えなければならなかった」、「中世の都市住宅は単なる家族専用住宅だけではなく、（手工業の）工場や事務所、それに雑貨店や専門店をも含んだ。また、共同生活も血縁を超えて営まれた。職人の協同組合（ギルド）によって規定された正規には七年間の年季奉公の間、徒弟は親方と起居を共にした」、「家屋の一階は主に小売りのスペースに利用されたが、靴職人や蠟燭職人のようにスペースをあまり必要としない業種は工房も兼ねていた」（ベネヴォロ『近代建築の歴史』六三八頁）。つまり、中世都市はそうした小売業の店や工房によって構成されていたのである。「関連する職業は近くにかたまる傾向があり、たいがいはその職業の名前が通りの名称となった。職人の姓も、往々にしてその職業に由来した」（ギース&ギース『中世ヨーロッパの都市の生活』一一七頁）。道に面してそうした小売業の店舗と工房が並んでいたのである。商店街である。中世都市の街並みは今でもそのまま小売り店舗の商店街として生き残っている。小売り店舗、工房はイタリア語では“bottega”、フランス語では“boutique”である（図1〜3）。

図1　サンジミニアーノ①（著者撮影）。今でも当時そのままに観光客が集まる街なみである。

図2　アッシジ①（著者撮影）。

図3　アッシジ②（著者撮影）。すべての家は商店あるいは工房（bottega, boutique）だった。

中世都市の街なみはブティックによってつくられていた

ギルドはそれ自体が一つの自治組織であった。自らの対外的な規制と内的規制を持っていたのである。「どのギルドも、同業者同士の取り決めを守ることの重要性はよく認識していた。自分たちで競争を制限している以上、一定以上の質を保証する責務を負っていたからだ」（ギース&ギース『中世ヨーロッパの都市の生活』一三〇頁）、「ほとんどのギルドでは、検査は単なる形式にとどまらなかった。予告なしに店を訪れ、はかりをチェックし、質が基準に達しない品物はその場で没収して、始末するか、貧しい人々に与えるかし、当人からは商品の価格に見合った罰金を徴収した。……同業者が話を合わせて価格調整をしたり、商品の独占販売をもくろむことは禁止だった」（同書、一三一頁）。そうした対外的な厳しい規制と同時に、内側ではそれぞれのギルドが相互扶助の仕組みを持っていた。「ギルドでは、構成員に子供が生まれれば洗礼の贈り物をし、病気や貧困に苦しむ仲間がいれば助け、施療院や葬儀の費用になにがしかの補助をし、慈善的な事業も少しおこなっていた」（同書、一三二―一三三頁）。ギルド集団ごとに一定の区域を持ち、それぞれの業種にちなんだ守護聖人を擁していた。そうした様々なギルド集団によって都市が構成されていたのである。そのギルド集団の集合がコミューン（コムーネ）である。「イタリアにおいても、コミューンは基本的に市民の組織だった」（同書、三三頁）。市民というのは「毛織物商人、干し草商人、兜職人、ブドウ酒商人など町のあらゆる商人、職人」である（同頁）。北西ヨーロッパにおいても彼らは一体となって聖俗の権力者から自分たちの権利を守ろうとしたのである。「教皇や司教たちの反対にもかかわらず、コミューンは西ヨーロッパを席捲した」(同書、三五頁)というから都市は実質的にこうしたギルドの商人、職人たちによって自主管理される空間だったのである。

「中世都市はある意味で小さな都市の寄り集まりであり、それぞれ或る程度の自治権と自足性をもち」、「それぞれが一あるいはそれ以上の教会をもち、しばしば地域的食料品市場をもち、かつ必ず井戸か泉による地域的給水があることなどが特徴であった」、「家族と近隣から成る一次的住居単位へのこの総合は、別種の分割、つまり職業と利害関係にもとづく、教区への分割によって補われた」のである(マンフォード『歴史の都市 明日の都市』二七八頁)。つまり「近隣による住居単位」は単なる家の集合ではなく、同時にそれがギルド集団であり教区であった。そして自らの共同体を自主的に運営する権力を持っていたのである。それをマンフォードは「小さな都市」と言ったのである。その小さな都市の集まりがコミューンである。それは「世界」と呼ぶことができるような空間的特質を備えていたのである。ギルド集団とそのギルドに属する商人や職人との関係は正に「共同体内共同体」としてあった。そして商売をしている店、あるいは手工業のアトリエが「閾」である。ポリスや私たちが見てきた集落の「閾」が〝アンドロニティス〟あるいは〝男の部屋〟であったのに対して、この中世都市でのそれは職人や商人の「店(bottega, boutique)」であった。つまり「店」は私的空間の中にある公的空間なのである。その「店」を媒介にして都市空間が構成されていたのである。

そうした都市の構造は一八世紀までほとんど変わらずに生き残っていた。一九世紀の産業革命はそうした都市の構造を破壊したのである。その破壊されようとする都市の住民が店の経営者であり手工業の親方たちだったのである。マルクスは彼らを小ブルジョアと呼んだ。ギルドの親方子方の関係を

「自由民と奴隷、都市貴族と平民、領主と農奴」と同じような関係だと考えたのである。「ギルドの親方と職人」（『共産党宣言』四一頁）を圧制者と被圧制者に分断し相互に対立した関係だと考えたのである。一方が他方を搾取する関係である。子方がプロレタリアートである。そして、その親方たち、そこで商売をしている人たち、つまり小ブルジョアたちも、いずれは「プロレタリア階級に転落する」（同書、五三頁）人たちであると考えた。彼らは「もっと大きな資本家との競争に負ける」（同頁）からである。

中世都市にはアイドルがいた、ブランド商品を売っていた

マルクスは親方子方の関係そのものが物をつくるための協業（co-operation）であること、そしてそれが「労働」とは全く異なる「仕事」のプロセスであることを認めなかった。『靴屋よ、おまえの木型を守れ』。手工業では究極の英知であったこの言葉は、時計職人ワットが蒸気機関を、理髪師アークライトが経糸織機を、宝石職人フルトンが汽船を発明した瞬間から、愚の骨頂と化したのである」（『資本論』第一巻下、一七二頁）。新技術の発明は必ずしも専門職によるわけではない。ギルドの外側で新技術が開発され製作工程が合理的に分業されることによって安価な靴が大量に生産されるようになる。ギルドはもはやいらない。木型はもう必要とされない。そうなるだろうとマルクスは考えたのである。ギルドの職人にとっての〝究極の英知〟をマルクスは〝愚の骨頂〟と言った。でも、ギルドの職人たちが作る靴は単なる消費材ではなかったのである。「当時の履物は貧相で、スリッパ同然だった。おしゃれに気を遣う女性たちは山羊の革か、コルドバ革……を使ったが、それらは普通の牛革

図4 アッシジ③(著者撮影)。左手に延びるのは人工の台地である。その上に聖フランチェスコを祭る教会が建つ。遥か遠くからもその特異な都市の姿が見える。

よりもっとデリケートだった」(ギース&ギース『中世ヨーロッパの都市の生活』一二四頁)。靴職人たちは、そのデリケートな技を競ったのである。美しくそして履き心地の良い靴は、いつまでも所有していたい価値としてあった。靴職人は特定の都市の中で、そして一つのギルド集団の中の一つの店の物、ほかに掛け替えのない物として、その靴をつくっていた。靴職人のその靴はその場所を示す刻印(brand)と共に製作されていたのである。逆に言えば、刻印された靴は、その場所を代表(represent)していた。その都市を代表していた。その場所を裏切るような仕事は許されなかったのである。その"brand"は使用されても消費されない「物」として所有されていたのである。「仕事と労働の場合と同じように、使用と消費も、同じものではない」(アレント『人間の条件』二二五頁)というのはそのような意味である。ギルドの靴職人にとって木型は自分の作品(the work)

図5　ドブロブニク（著者撮影）。アドリア海の都市。多くの中世都市は今でも世界的な観光地（アトラクション）である。

である靴を作るための財産だった。その木型による靴はその都市の中の特定の場所と共にあった。場所と共にある、という意味は、単なる交換価値（value）、単なる機能としての靴、消費される靴とは全く違う価値（worth）としてあった、という意味である。既に述べたように〝worth〟とは「物自体の『生来的な』客観的価値《ワース》」（同書、二六一頁）のことである。何物とも取り替えられない価値である。正に木型はそうした価値を生み出す彼ら靴職人の、〝究極の英知〟そのものだったのである。「仕事人（demiourgoi）」としての英知である。

　ギルド集団の生産の場所であり販売の場所であった中世都市はどの都市もその外観（appearance）が際立っていた。「この都市は特別である」というメッセージ

図6　サンジミニアーノ②（著者撮影）。かつては72本もの塔が建てられていた。今でも圧倒的な景観である。

がその都市の繁栄のためには極めて重要だったからである（図4〜6）。この都市は特別な物（brand）を持っている、というメッセージである。市の立つ日には近隣から、あるいは遠方から多くの人たちが集まってきた。その都市のその店（bottega, boutique）にしかない〝ブランド〟を手に入れるために、あるいはその場所にしかないワインや食材や特別な調理方法を楽しむためにやってきたのである。そして、教会には多くの巡礼者たちが訪れた。教会に祭られている聖人像（idol）に会うためである。聖母マリア様や聖カテリナや聖フランチェスコ――偶像化された聖人たちは正に〝アイドル〟だったのである。中世都市はその空間全体がアトラクションだった。他者を招き入れるふんだんな仕組みに満ち溢れていたのである。正にテーマパークだった。そのように設計されていたのである。

マルクスはそうした「消費されない物（brand)」をつくりだす「都市」あるいは都市それ自体が持つ空間の魅力を全く認めなかった。都市空間そのものに興味を示さなかった。そうした空間は小ブルジョアもろとも全面的に否定されるべきものだったのである。壊れつつある都市は革命のための舞台でしかなかったのである。

自由な労働者のための自由な都市空間

マルクスはアレントの指摘するように労働と仕事の違いを理解していなかった。労働力が「『剰余』を作りだす能力」をもつことを発見したマルクスは、生命の過程を超えて「耐久力ある世界の物が別個に存在している」ことに気がつかなかったのである（『人間の条件』一六五—一六六頁)。ギルドは仕事人の集団である。仕事人は「世界」の物をつくる。その物は人の一生よりももっと長い間その都市（世界）の中に存在し続けるのである。世界をつくる「物」なのである。マルクスはその都市の住人、「物」をつくる人たちを小ブルジョアと呼んで階級闘争の枠組みに組み込んだ。その都市と深く関係するギルドのような「同職組合制」そのものが「小市民的社会主義」（『共産党宣言』八一、八二頁）なのである。階級闘争に地域コミュニティ（コミューン）は何ら貢献しない。階級闘争にとってそうした小市民的社会主義はマイナス要因でしかなかったのである。

都市に流入してきた労働者たちのあまりにも過酷な住環境に対してマルクスあるいはエンゲルスが考えたのは彼らのために自由な空間を想定することだった。彼らをいかに解放するか。解放された空間とはいかなるものか。それは土地に拘束されない人々のための自由な空間である。

「大都会においては、九〇パーセント乃至それ以上の人が、自己のものと名づけ得るような住所をもっていないという事実、この事実ほどわれわれのこの光輝ある世紀の全文化に対する恐るべき嘲笑はない。この主張を誰も意外とは思うまい。道徳的及び家族的生存の本来的な結合点たる家屋と竈は、社会的渦巻にまきこまれてしまっている」（エンゲルス『住宅問題』三〇頁）と述べるプルードンに対して「この愁嘆話こそ、われわれにとっては、プルードン主義の反動性の全き姿である。近代のプロレタリアートという革命的階級を作るためには、過去の労働者をいつまでも土地につないでいた霧の如き糸を断ち切ることが絶対に必要であった」（同書、三〇―三一頁）とエンゲルスは批判する。「近代の大工業は、この土地に結ばれた労働者から、完全に無産的なあらゆる伝統をすてて鳥の如くに自由なプロレタリアートなるものを作り出したのである」（同書、三一頁）。「家と竈」に縛りつけられた小ブルジョアから「鳥の如くに」自由なプロレタリアートへ。その自由な空間がエンゲルスの描く都市空間だったのである。それは今でも私たちの意識の中に深く刻み込まれているように思う。「家と竈」はかつての家制度の象徴である。家や地域社会、そこからいかに自由になるか、それこそが近代化だという単純化された図式である。その単純な図式こそが近代化の図式であった。そしてそのような都市を実際につくろうとしてきたのである。

「familiaという言葉の本当の意味は財産である。それは土地、住居、金銭、奴隷を指している」、「しかし、この『財産』は家族に付属するものとは見られていない。逆に『家族が炉辺に付属するのであり、炉辺は土地に付属する』」、「財産は……動かすことができない」とアレントが言うように

(『人間の条件』一二四頁、注)、「世界」においては家と竈が財産である。財産(property)とは「一定の場所を占めている世界の固定した部分」(同書、九九頁)であった。ポリスの中のオイコス(家)のように「世界の特定の部分に自分の場所を占めることだけを意味した。したがって、財産というのは、政治体に属すること」(同書、九一頁)を意味していたのである。ところが、近代の財産という概念は「財産の源泉は、人間自身の中にあった。いいかえれば、それは、人間が肉体を所有していることの中に、そして人間がこの肉体の力をまちがいなく所有していることの中にあった。マルクスは、それを『労働力』と名づけた。こうして近代の財産は、世界的性格を失い、人間そのものの中に場所を移し、個人がただ死ぬときに失う肉体の中に場所を移した」(同書、九九頁)のである。

つまり、財産という概念が、「人間をその場所に縛りつける家と竈」から「自分の肉体が持っている労働力」に移り変わったとアレントは言うのである。家と竈は「世界」の中にある。「世界」とは、ポリス、そして中世の都市、そして私たちがみてきた集落のような〝外面の現われ〟を持ち「外部の者に対する異質性の表現、内部の者に対する同質性の表現」が実現しているような空間である。その世界の中の「家と竈」である。「家と竈」を所有することが「世界」という空間の中でその共同体のメンバーになることだったのである。「家と竈」が財産だったというのはそのような意味である。「家と竈」が財産であるような「世界」から「労働力」が財産であるような「社会」に変わったというのである。その社会の住人は賃労働による労働者である。社会とは市場社会である。その市場社会において「自分の肉体が持っている労働力」を商品として金銭と交換する、それが労働者である。鳥のように自由な労働者である。その労働者のための空間が社会である。そして実際、建築家たちはそうした「鳥のように自由な労働者」のための建築を設計するようになっていったのである。機能的な建築である。「世界」という意識そのものが近代の建築家からは失われていったのである。

5　社会はどのように管理されるのか

家族が近代国家の基礎単位である、中間集団はない

私たちが調査してきた集落は、今もそこに人びとが住んでいる集落である。それらは「世界」と呼ぶことができるような空間的特質を持っている集落である。それらはすべて過去に属する、と多分多くの私たちは考えていると思う。それはまだ近代化される以前の社会である。「家と竈」が財産であるような社会である。いずれ、近代社会のような自由な社会にいたるプロセスのその途上にあると私たちは思っている。でも、アレントはそのプロセスという考え方を疑う。近代社会そのものを疑う。社会と世界とは相互に対立する概念なのである。世界は過去に存在して今は失われた空間ではない。世界は社会にいたるそのプロセスの途上にあるわけでは決してない。世界と社会はそれぞれに全く異なる考え方によって構成される空間なのである。相互に全く異なる空間概念なのである。

「家族の集団が経済的に組織されて、一つの超人間的家族の模写となっているものこそ、私たちが『社会（society）』と呼んでいるものであり、その政治的な組織形態が『民族（nation）』と呼ばれているのである」（『人間の条件』五〇頁）（邦訳では“nation”は「国民」と訳されている。関曠野はそれは誤訳

であるという（『民族とは何か』一五頁）。“nation state”を「国民国家」と訳すのは、「国民」という言葉が既に国家を前提としているわけだから、明らかに矛盾している。関に倣うなら、“nation”は「民族」と訳されるべきである）。「1住宅＝1家族」という単位で切り分けられた近代社会の家族はその上位の共同体を持たない。ミュルーズの労働者都市で見た「1住宅＝1家族」のその上位の空間は産業資本家による管理空間であった。その管理空間を国家大にまで拡大したシステムが民族国家（nation state）である。「1住宅＝1家族」を拘束する管理空間がそのまま直接的に国家であるようなシステムである。中間集団がない。西川祐子は近代家族について「この家族は近代国家の基礎単位」（『近代国家と家族モデル』一五頁）であるという。そのように近代家族を定義するべきであるという。それはアレントの指摘と符合する。国家を構成する人間の基礎的な単位が家族である。家族の集合によって国家は形成されている。「一民族一国家」という「世界の国家間システム」（同頁）において、家族はその「一民族一国家」を構成する基礎単位である。さらにその国家が家族の模写になっているというのである。

金銭的利益のための国家

既に述べたように「1住宅＝1家族」として切り分けられた家族の家計は賃労働によって成り立っている。つまり、すべての国民が賃労働の従事者あるいはその家族である（に過ぎない）ということを前提にして国家のシステムは成り立っているのである。そこでは「私たちがなにをしようと、それはすべて『生計を立てる』ためにしていると考えられている」（アレント『人間の条件』一八九頁）。労働者は生きるために働いている。家族を養うために働いている。「循環する生命過程」を維持するために働いている。労働がただ金銭に結びつくような社会である。

国家が家族の模写になっているという意味は、国家そのものがただ金銭的利益を目的として運営されているという意味である。全ての人が生きるためにのみ働いているような社会である。社会の統治システムが「国家規模の『家計』に変形」（同書、九〇頁）されてしまったのである。経済（economy）とはもともと「家」（oikos）の中の家計（oikonomia）のことであった。それが国家規模の家計になった。国家がただ経済（金銭）のために運営される。「家族の集合（the collective of families）が経済的に組織される」というときの〝経済的〟というのはそのような意味である。そしてその国家（家族の集合）は「一つの超人間的家族の模写」である。すべての国民がその超人間的家族の一員である、という幻想が民族（nation）という幻想である。

建築空間の側から言えば、家族は〝親密な関係〟として、周辺から隔離されて密室化された「1住宅＝1家族」という空間に住んでいる。その「1住宅＝1家族」は中間集団のようなその上位の空間を持たない。直接的に国家（管理空間）に結びついている。「閾」のない隔離され密室化され孤立した私生活（privacy）のための場所である。「循環する生命過程」のための場所である。その「1住宅＝1家族」の集合（the collective of families）によって構成される空間が「社会」という空間である。その空間は「世界」のような特質を持った空間ではない。均一化され、標準化された空間である。その空間においては、すべての物が金銭に還元される。市場社会である。その市場社会という空間ではあらゆる物が交換価値として相対化される。画一化される。「画一主義は社会に固有のもの」（同書、六五頁）である。その社会においては、建築空間もまた均一化、画一化される。というよりも、均一化、画一化された建築空間が画一化された社会をつくるのである。ミュルーズの住宅群がそうであったように、プライバシーのために孤立させられた全く同じような住宅がただ均質に並ぶような空間の配列である。グリッド状の配列である。軸方向に対して平等に配置されるような配列である。そのグリッド状の配列は二〇世紀の都市空間の特質になっていった。その原理は平等である。そのグリッド・プランは古代ギリシアのポリスにおけるグリッド・プランと何が違うのか。ギリシアのグリッド・プランは平等であると同時に「政治体」に参加する自由のための空間であった。ところが、この住宅に住む私たちは相互に平等ではあっても、政治体に参加する自由を持たない人々である。住宅は単にプライバシーを守るためにのみつくられているのである。隔離された住宅である。「閾」がない。政治体に参加するような仕組みを住宅それ自身が持っていないのである。

「社会」とは私的集団という意味であった

「社会（society）」とはもともと「ある特別な目的を持つ人々」による私的集団のことであった。実は今でもそうである。私たちの住んでいる現代社会もまた、「ある特別な目的を持つ人々」による社会である。ある特別な目的というのは金銭である。すべての人は賃労働者として社会に参加している。金銭を目的として働いている。その金銭のために働く賃労働者たちによる空間が社会である。現代社会は金銭のみを目的とする人びとによる特殊な社会（societas）なのである。その社会の成員はいつでも金銭（経済）という「たった一つの意見と一つの利害しかもたないような、単一の巨大家族の成員であるかのように振舞うよう要求」(アレント『人間の条件』六二頁) される。現代社会はそのような特別な目的をもつ人びとによる社会である。それではその社会はどのように管理されているのか。どのように統治されているのか。官僚制的に統治されている。「統治の最も社会的な形式は官僚制である」(同書、六三頁) とアレントは言う。

社会という空間においてはすべての人は賃労働者である。ここには「何らかのかたちで賃労働に従事しないような消費者や市民など、不労所得者 (利子生活者) 以外には存在しない」(柄谷行人『世界史の構造』四三九頁)。労働と仕事の区別が失われた空間である。「労働と仕事の区別が、全体を労働とする方向で取り除かれている」(アレント『人間の条件』一四四頁) のである。〝物化〟に関わる仕事もこの社会においては労働である。すべての人が「生きるために」働いている。金銭のために働いているとみなされる。それが社会である。そのためには労働者たちに対してはその労働時間に応じて適切に金銭が分配されなくてはならない。分配の原理は平等である。金銭の平等である。その金銭の平等こそが官僚制を登場させるというのである。

社会はどんな環境のもとでも均質化する。だから、現代世界で平等が勝利したというのは、社会が公的領域を征服し、その結果、区別と差異が個人の私的問題になったという事実を政治的、法的に承認したということにすぎない。(同書、六四頁)

どういう意味か。市場社会、産業化社会が私たちの住む社会である。その社会においてはあらゆる物は交換価値としてある。金銭に交換できる物としてある。社会という空間は均質で平板な空間である。単に商品が流通するための空間でしかないからである。商品が素早く消費される空間である。その平板で均質な空間の中では、商品はすべて周辺と切り離されたパッケージとしての商品である。その場所との関係を持たない商品である。同じパッケージは同じ価格でなくてはならない。同じパッケージ・デザインのその内容は常に均一である。決してばらつきがあってはならない。グリコのポッキーはすべてが同じサイズ、同じ色、同じ重さ、同じ味である。パックされたキュウリはすべてが同じサイズ、同じ色、同じ重さ、同じ味でなくてはならない。市場社会の中で私たちが消費するあらゆる商品はそれがどのような商品であったとしてもパッケージ化された均一な商品である。パッケージは誰に対しても平等に同じ中身を保証する。

商品のパッケージは予め消費する人をほとんどピンポイントで想定してパッケージ化されているのである。パッケージ化は消費者の側からは「苦痛なき消費、努力なき消費」(同書、一九三頁)である。「人類が消費したいと思うすべての物を日々自由に再生産する」(同頁)。そしてそれを自由に消費することができるような社会である。パッケージされた商品は「もはや、それを使用し、それに固有の耐久性に敬意を払い、それを保持しようとする余裕をもっていない。私たちは、自分たちの家や家具や自動車を消費し、いわば貪り食ってしまわなければならないのである」(同書、一八七頁)。使用対象物がまるで生鮮食料品のようになってしまったのである。パッケージは常にほんの少し更新される。商品はできるだけ素早く消費されなくてはならないからである。更新されたパッケージが古いパッケージを駆逐する。そのほんの少しの「区別と差異」に対する嗜好が唯一残された個人の私的問題になった。アレントはそう言う。建築空間もまたパッケージ化される。そのパッケージ化された建築空間を私たちは「施設」と呼んでいる。社会においては建築空間のすべてが施設化される。その施設化された建築空間は官僚制的に管理されているのである。

「世界」は過去にあって今は失われた空間ではない

一方の「世界」はそれ自体が特質を持った空間である。そこに住む人々がその特質を持った空間を共有している。共有しているという感覚（common sense）を持っているのである。そしてその世界は周辺との強い関係によって成り立っている。世界は一定の領域を持っている。でもそれは閉鎖された空間では決してない。世界という空間は、空間それ自体が他者を招き入れる空間なのである。そのように設計されているのである。そして、その空間は自分たちの責任でその特質を維持管理できる大きさの範囲を超えない。ポリスがそうであったように、その政治体を維持できる範囲、それを触知できる範囲を超えてそれ以上に大きな空間にはならないという意味である。「世界という空間」はそこに住む人たちの記憶を未来に向けて伝達する空間である。自分がそこに存在したという痕跡を残す空間である。

その世界は産業革命による労働生産性の驚異的な増大によって、その特質が失われていった。仕事と労働の区別がなくなって、すべての人が賃労働による労働者とみなされるようになったからである。生きるために働く労働者である。労働者は消費される商品をつくり、そして一方でただそれを消費する消費者である。そして自分自身が市場社会の商品である。「経済的に組織された社会」（金銭を唯一の価値とする社会）という空間の住人である。そして、金銭的な価値（利潤）を拡大するためには社会はどこまでも広がらなくてはならない。

「資本家は地球上の他の部分に前資本主義的な土地を探し求め、それをしも資本蓄積過程に引き込むことを余儀なくされるのであり、いわばそれはその外部にあるものいっさいを餌食とすることになる」とローザ・ルクセンブルクを参照してアレントは言う（『暗い時代の人々』六六頁）。

社会という空間は境界を持たない。どこまでも広がり続けようとする空間である。均質なそして平坦なこの空間こそが社会である。その空間はそこに住む人たちの記憶を未来に向けて伝達する空間ではない。その空間はそこに住む人々に対して負荷を与えない。住む人たちを拘束しない。「鳥のように自由な労働者」の空間である。私たちが現に今住んでいる空間である。

「世界」と「社会」は全く異なる空間である。繰り返すが、世界は社会にいたるそのプロセスの途上にある空間ではない。世界は過去にあって今は失われた空間ではない。世界は今でも私たちの身近にある。それが私たちには見えないのである。すべての物が消費のための商品になってしまった社会の内側にいる私たちには、それとは全く違う耐久性のある「物が別個に存在している」こと（アレント『人間の条件』一六六頁）、それによってできている世界が存在していることが分からない。そうした世界を見る目を失ってしまっているのである。

「世界」は過去に属する空間、遅れた者が住む空間としてしか認識することができない。「社会」の住人である私たちにとっては、それは克服されるべき空間なのである。世界は後進社会であり、地方社会であり、地域共同体的社会であり、伝統社会である。「前資本主義的」な空間である。「資本蓄積過程」に引き込まれるべき空間なのである。

「社会」（市場社会あるいは消費社会、大衆社会あるいは市民社会さらにあるいは官僚制的社会）は「世界」を解体してその「いっさいを餌食とする」。そのような空間である。そして、二〇世紀の建築家たちは耐久性のある物によって「世界」のための空間をつくるのではなく、むしろそうした「世界」を解体して「社会」という空間をつくる役割を担ったのである。建築家が目指した建築は、世界に貢献するような建築ではなく、社会の要請（命令）によって私的に消費されるような建築だった。機能的であれ、という社会の命令に従う建築である。経済的な効果のための建築である。経済的効果のための私的空間である。周辺環境とは無関係なパッケージの設計者になっていったのである。そして今、建築家はそのようなパッケージ設計者として認知されている。

第四章　標準化＝官僚制的管理空間

1　一円入札

最も安い設計料の設計者が選ばれる

都営住宅の建設は東京都都市整備局の管轄である。そして、その都営住宅の設計者はどのように選ばれるかというと入札である。最も安い設計料を入札（申告）した建築設計事務所が、ただ設計料が安いというそれだけの理由で選ばれる。その設計が優れているかどうかではない。ただ設計料が安ければ良い。それが長年の慣習である。その結果どのようなことが起きたか。

・二〇一一年五月二〇日の新聞、「東京都都市整備局西部住宅建設事務所は、八王子に整備する都営長房北団地（仮称）基本設計業務委託の競争見積もりを行った結果、一万円（税別）で落札された。規模は、五棟四二六戸程度を想定」。一万円の基本設計料で四二六戸の住宅を設計する。集会所も設計する。

・同年六月一四日、同じ東京都都市整備局西部住宅建設事務所は、都営上石神井四丁目団地（仮称）九八戸の基本設計を設計料一万円で落札したと発表した。

・前日の一三日には東京都都市整備局東部住宅建設事務所の発注で都営西尾久八丁目第二団地一一階建て九二戸の基本設計料一〇〇〇円。

・都営船堀一丁目第二団地二四〇戸も基本設計料一〇〇〇円。

・東京都都市整備局東部住宅建設事務所、都営花畑七丁目団地（二八〇戸程度）基本設計料一〇円

（同年九月六日）。

・東京都都市整備局東部住宅建設事務所、都営南蒲田二丁目団地基本設計料一円（同年一〇月二七日）。

基本設計料一万円、一〇〇〇円、一〇円、一円。全て東京都都市整備局による都営団地の設計である。狂気としか言いようがない。戸当たり一二〇〇万円と仮にしても、四二六戸つくれば五〇億円の総工事費である。それをただ同然の基本設計料で設計する。できるはずがない。それは応札する側も百も承知で、仮に基本設計料が〇円でも、その次に待っている（通常は基本設計料の二倍程になる）実施設計を特命で受注できればそれで十分回復できると踏んでいるのである。都市整備局の期待するようなそんな程度の設計なら、基本設計料なんていくらダンピングしたって十分ペイする。都市整備局からの暗黙のメッセージがそういう設計者を呼び寄せているのである。設計料をダンピングするような、その程度の設計者に公共財産である都営住宅を設計させてしまっているのである。その発注者からのメッセージが狂気そのものだという意味である。

都市整備局のメッセージというのは次のようなものである。都営住宅は既に定型化されている。「都営住宅は標準設計に基づいた定型的な建築物だからプロポーザルにはそぐわない」（建設通信新聞二〇一一・七・二一）そんな定型化された住宅などに設計者の創意は必要がない。今まで都市整備局がつくってきた標準的都営住宅のコピーで十分なのだ。新しい技術を問う訳ではないのである。設計者の創意や技術力を特別に問う訳ではないので設計料なんて安ければ安いほどいい。「今までつくってきた住宅と同じ標準的なものを造れ」そういうメッセージである。都営住宅は定型化されているというのは都市整備局の見解である。それを定型化されたものとして供給してきたのは都市整備局である。

〝定型化している〞と誰が決めた？　標準的なものでいいと誰が決めたのか？　プロポーザルやコンペはなじまないと誰が決めたのか？　設計料は安ければ安いほどいいと誰が決めたのか。東京都都市整備局という所轄局の内側でつくられた理論である。

この都市整備局の内部ですべてが決められているのである。まるで自分たち（都市整備局）の私的な建築物であるかのように供給の仕方を特権的に決めることができると思っている。それこそが私物化である。

その東京都都市整備局の言う定型化した標準的な都営住宅で今、何が起きているのか。都営戸山団地だけでも、「二〇一〇年、孤独死一二人、高齢化率五〇パーセント」（朝日新聞）「全国の公営団地で〇九年度に孤独死した人が少なくとも一一九一人」「UR団地で起きた六五歳以上の孤独死四七二人を合わせると『一日に四人弱の高齢者が孤独死』している」（毎日新聞）老朽化した都営住宅の問題は単に老朽であるという建築物の耐用年数の問題ではない。「1住宅＝1家族」を前提とした従来までの〝標準的な〞その供給の仕方が問題なのである。今、東京二三区で一世帯当たりの人数はわずか二人である。全国的にも単身者世帯が全世帯に占める割合は二〇〇五年で二九％、標準世帯は三〇％。二〇一五年にはこれが逆転して単身世帯が最も多くなる。高齢化率は二三パーセント、もうすぐ二五パーセントになる。高齢者に限らない。多くの人たちの孤立化はますます深刻になっているのである。つまり、高齢化、孤立化は社会問題なのである。そしてそれは住宅の供給の仕方の問題なのである。今までの標準的、定型化した住宅が問題なのである。

今こそ公共住宅の新たな供給の仕方が考えられるべきではないのか。自分たちの内側の理論だけで供給方法を勝手に決めてしまえるような、そんな問題ではないのである。東京都都市整備局にとっては誰のためにつくるのかということよりも自分たちの内側の理論、内側の都合こそが重要なのである。それを官僚主義という。その官僚主義の端末のように働いている設計者たち。そこには実際の利用者、住人のことなど微塵も考えない徹底した私物化の理論だけがある。一円入札の本質的な問題はここにある。

これは『建設工業新聞』という業界新聞のコラムに書いた拙文である（二〇一二年四月二七日）。この文章の影響なのかどうかは分からないが、東京都都市整備局は二〇一三年六月三日、都営大森西七丁目団地その他二件の基本設計の設計者選定において、プロポーザルを実施し、委託先を特定したと発表した。従来までの入札ではなく、プロポーザル方式で設計者を選んだという発表である。プロポーザルというのはA３用紙一枚程度に簡単なスケッチと設計意図を描いてそれだけで審査するという方法である。多くの図面やパース（透視図）、ときには模型などを提出する設計コンペ方式に比較して設計者に過剰な負担をかけないというのがプロポーザル方式の意図である。だから、一般的にはプロポーザルへの参加報酬費は支払われない。それでも入札方式で選ぶよりも、より設計者の意識（やる気）を尊重した選び方であるということで国土交通省が編み出した設計者選定の方法である。ところがこの都市整備局のプロポーザルの場合、誰が審査員か分からない。どのような理由でその設計者が選ばれたのかそのプロセスが分からない。それだけでも問題なのに、さらに、そのプロポーザルで選ばれた設計者への基本設計の報酬が一一八万二〇〇〇円（税込）だというのである。計一〇〇戸の都営団地である。一〇〇戸の集合住宅だとしたら、延べ床面積五〇〇〇～六〇〇〇㎡程度である。総工費は平米あたり二〇万円としても一〇～一二億円。この建築を設計するためには、最低でも構造事務所（構造システムの検討、コンクリート量や鉄筋量、鉄骨量などの算定をする構造設計の専門事務所）、設備事務所（給排水、空調、電気、環境負荷、そしてライフサイクルコストなどを計算する専門事務所）の協力を必要とする。更に建設コストの概算を算出しなくてはならないので、積算事務所にも協力を依頼する。そうした専門家をインハウスで持っている設計事務所は組織設計事務所と呼ばれるけれども、その組織設計事務所にしてもそれだけの経費はかかるわけである。その建てられる場所の環境を調査して、周辺の住民とどのような関係をつくれば良いのか。そのためには、その敷地に対してどのような配置計画が有効なのか。各住戸ユニットはどのような平面構成だったらいいのか。協力事務所の経費を含めてもし私の事務所で基本設計の設計費を計算したとしたら、それを一五〇〇万円以下に抑えるのは極めて難しい。因みに国土交通省が定めている目安としての設計料算定基準（国土交通省告示一五号）に則っても一五〇〇万円程度になる（国土交通省はダンピングを避けるために、あるいは過剰にならないように設計料の基準を決めている。でも、各自治体はその基準に従うことを義務づけられていない）。その設計作業を東京都都市整備局は一一八万二〇〇〇円と算定したのである。それは一円入札よりも実はもっと遥かに権力的である。権力的という意味は官僚制的な支配の理論を隠そうとしないという意味である。一円入札は少なくとも設計者の意志である。入札という選定システムにおいて、その設計者を選ぶ理由は金銭のみである。都市整備局という主体によるその建築に対する評価、その提案が優れているかどうかという価値判断は含まれない。むしろ価値判断は意図的に排除されている。全ての応札者に対する金銭的平等だけがある。一方、設計事務所を維持するには到底不可能な金額で設計せよ、というのは東京都都市整備局からの命令である。その命令に従えという。その命令は都営住宅の設計など精々その程度の簡単な労働だという評価である。それは東京都都市整備局の内側だけで決められる評価である。評価基準は一方的に発注者の内側にのみある（建前上は設計者と発注者が話し合って金額を決めるという形式を取る。「見積もり合わせ」と呼ばれる方式である。でも実際は、金額の上限は予め発注者側で決められてしまっているので、それを超えたら不調、つまり失格になる）。

なぜこのようなことが起きるのか。都市整備局だけにかぎらない。今、日本の公共建築のその七割が設計入札なのである。設計者をその能力ではなくて、金額だけで決めているのである（「官公庁施設の設計業務に関する実態調査の結果」全国営繕主管課長会議、二〇一二年六月）。建築の設計に限らない。これが日本社会（社会化された国家）の中で起きている実態なのである。行政と業者の出会う場面で起きている実態である。実はこうした行政と業者の関係こそが官僚制的支配を支えるその根幹なのである。

2　権力は下から来る

官僚制は統治のピラミッドをつくっているわけではない

「権力は下から来る」と言ったのはミシェル・フーコーである（『知への意志』一二一頁）。「統治の最も社会的な形式は官僚制である」と言ったのはハンナ・アレントである（『人間の条件』六三頁）。官僚制は統治のピラミッドをつくっているわけではない。ピラミッドの頂点に権力の司令部があるわけでは決してないのである。官僚制に中心はない。

「権力の関係は、意図的であると同時に、非－主観的であること。事実としてそれが理解可能なのは、それを『説明して』くれるような別の決定機関の、因果関係における作用であるからではなく、それが隅から隅まで計算に貫かれているからである。一連の目標と目的なしに行使される権力はない。しかしそれは、権力が個人である主体＝主観の選択あるいは決定に由来することを意味しない。権力の合理性を司る司令部のようなものを求めるのはやめよう。統治する階級《カースト》も、国家の諸機関を統御する集団も、最も重要な経済的決定をする人々も、一社会において機能し（そしてその社会を機能させている）権力の網の目の総体を管理・運営することはない。権力の合理性とは、権力の局地的破廉恥といってもよいような、それが書き込まれる特定のレベルで屡々《しばしば》極めてあからさまなものとなる戦術の合理性」（フーコー『知への意志』一二二頁）である。「そこでは、論理はなお完全に明晰であり、目標もはっきり読み取れるが、しかしそれにもかかわらず、それを構想した人物はいず、それを言葉に表わした者もほとんどいない」（同書、一二三頁）。

官僚制的権力はその局地的端末で露わになる

「権力の合理性」とは「一連の目標と目的」のための「戦術の合理性」である。「目標と目的」とは、官僚制という「特権の維持、利益の蓄積、法的権威の発動、職務や仕事の遂行」（柳内隆『フーコーの思想』一八三頁より引用）である。それはその官僚制の一部局（一社会）の内側においてのみ決められる「目標と目的」である。客観性はない（それを「説明して」くれるような別の決定機関はない）。そしてその合理性の徹底のためにどこかに誰か特定の個人としての主体＝主観があるわけではないのである。官僚制的権力とは官僚制の一部局（一社会）ごとに切り分けられた命令と服従のシステムなのである。そのシステムはその「特定のレベル」、つまり、その局地的端末において露わになる。「権力の合理性」なるものを露わにするのである。局地的端末とは東京都都市整備局の都営住宅建設担当者（行政）と建築の設計者（業者）が出会う場面である。その極めて局地的な場面で発動される支配・被支配の関係である。プラトン的な「命令と服従」の関係が実現する場面である。「知を命令＝支配と同一視し、活動を服従＝執行と同一視した」（アレント『人間の条件』三五五頁。本書第二章参照）という「命令と服従」の関係である。その行政（命令）と業者（服従）との関係をフーコーは「局地的破廉恥」と言ったのである。官僚制という権力様式はその局地（端末）において現われる。ピラミッドの頂点に司令部があるわけではないのである。「権力は下から来る」というのはそのような意味である。

「命令と服従」のそのような局地的端末における関係をフーコーはなぜ「局地的破廉恥」と言ったの

か。なぜならその端末においては、その「命令」がいかにも合理性をもつかのように認識されてしまうからである。その命令が非－主観的だからである。命令は特定の人格を持っていない。人格を持たない非－主観的命令は、「社会的要請」であるという装いを持つ。その命令が客観性を持ち合理性があるかのように認識されるのである。何故そのように認識されるのか。その命令が〝物化（建築化）〟されるからである。「命令はそれが〝物化〟されることによって、リアリティを得、いかにもその命令に根拠があるかのように見える」（本書第二章）からである。仮にその命令に根拠がなかったとしても、それでも、その物（建築）は〝現実的〟にできあがる。できあがってしまうことによって、いかにもその命令が社会的な合理性（客観性）を持つかのように認識されてしまうのである。

〝物化〟されることによってその命令に根拠があるかのように見える

官僚制の端末による命令が社会的要請として合理性をもつのは、その命令が〝物化〟というプロセスに結びつけられているからなのである。その〝物化〟というプロセスを経由することによって、命令は社会的要請として認識される。逆に言えば、命令が社会的要請として認識されるために〝物化〟というプロセスが極めて重要な働きを果たすのである。そのプロセスを支配することによって、その命令は社会的要請という合理性を獲得する。〝物化〟というのは東京都都市整備局という官僚制の端末（行政）の命令に従って設計者（業者）が設計し、それを実現するという行為そのものである。設計者によってその命令が〝物化〟される、それが〝執行〟の意味である。官僚制的統治はその命令が〝物化〟される局地において命令の合理性を獲得するのである。

〝物化〟とは〝活動と言論と思考〟という「触知できないもの」を「触知できる物」に変形することであった（アレント『人間の条件』一五〇頁。本書第二章参照）。「思想あるいは観念の様式」として他者と共に共有されるものになるためにはそれらは〝物化〟されなくてはならない。

「都営住宅は標準設計に基づいた定型的な建築物である」。それは標準化された住宅として〝物化（建築化）〟される。今までも都営住宅はそのように供給されてきたし今後も変わることなく同じ住宅を作り続けるというのが東京都都市整備局の考え方である。標準化とはどのような場所であっても、どのような特性を持った地域であったとしても、その場所の特性とは無関係に同じような住宅をつくるという意味である。そしてその標準は持続的・継続的でなくてはならない。標準的な住宅は誰に対しても、既にいま都営住宅に住んでいる人に対しても、これからやって来る人に対しても、平等に同じ住宅を保証しなくてはならないからである。住宅の標準化は平等がその目的なのである。なにをもって平等とするか、その判断は供給する側にある。標準的な住宅を実際につくるということ、それ自体が平等という思想の〝物化〟なのである。〝物化〟されることによってその平等が一つの思想として「リアリティを得、持続する存在となるのである」。

命令はそれが〝物化〟されることによっていかにもその命令に客観的な根拠があるかのように見える。客観性を装う。「それが『支配の理論の根本』なのである」（本書第二章）。

3 官僚制的統治は空間的統治である

官僚制的支配は無人支配である

「社会という空間」は「経済的に組織された空間」であった。経済的に組織された空間（金銭という価値が唯一の価値になった空間）においてはすべての人びとは等しく賃労働者である。「生きるために」（マルクス『賃労働と資本』四四頁）働いている人びとである。私的利益のために働いている人びとである。社会においては「人びとが共有するものは、ただ、その私的な利益だけである」（アレント『人間の条件』九七─九八頁）。そして、その私的利益を「相互に保護するために政府が任命される。したがってこのような政府だけが共通のものであった」（同書、九七頁）。私的利益を相互に保護する役割が政府の役割である。保護の原理は平等である。その平等の原理を守ること、それが「権力の合理性」の根拠を保証しているのである。社会全体の利益を平等に分配するという合理性である。でも、政府が単に金銭の分配という役割をのみ担うのだとしたら、それはもはや政府とは呼べない、とアレントは言う。「私たちが伝統的に国家とか政府とか呼んでいるものは、ここでは、純粋な行政に席をゆずる」（同書、六九頁）。純粋な行政とはその行政の「継続性・持続性」以外の特定の目的を持たない、特定の人格（主体＝主観）を持たない、単なる金銭の機械的な分配者でしかないという意味である。つまり官僚制的行政のことである。その官僚制的行政が「純粋な行政」である。アレントは人格（主体＝主観）を持たないその官僚制的行政を「無人支配（no-man rule）」（同書、六三頁）と呼ぶ。「しかし、この無人支配は、その人格的要素を失っているからといって、支配を止めたのではない。統治の最も社会的な形式は官僚制である。したがって、慈悲深い専制主義と絶対主義における一人支配(one-man rule) が民族国家 (nation-state) の最初の段階だとすれば、官僚制はその最後の統治段階である。ここから知られるように、無人支配は必ずしも無支配 (no-rule) ではない。実際、それはある環境のもとでは、最も無慈悲で、最も暴君的な支配の一つとなる場合さえある」(同頁)。「主体＝主観」のない支配、つまり「無人支配」が成り立つためには、一方で被支配者が均一化・画一化されていなくてはならない。そうでなくては機械的な分配が成り立たないからである。

労働者はユニークな自分を示してはならない

「画一主義は社会に固有のもの」(アレント『人間の条件』六五頁) である。それは「すべての点で古代、とりわけギリシアの都市国家の平等と異なっている。かつて、少数の『平等なる者』(homoioi) に属するということは、自分と同じ同格者の間に生活することが許されるという意味であった。しかし、公的領域そのものにほかならないポリスは、激しい競技精神で満たされていて、どんな人でも、自分を常に他人と区別しなければならず、ユニークな偉業や成績によって、自分が万人の中の最良の者であること (aien aristeuein) を示さなければならなかった。いいかえると公的領域は個性のために保持されていた。それは人びとが、他人と取り換えることのできない真実の自分を示しうる唯一の場所であった」(同頁)。ポリスという世界は「平等なる者」の場所であると同時に、一方では「人びとが、他人と取り換えることのできない真実の自分を示しうる唯一の場所」だったのである。

ポリスは「世界という空間」である。多数の平等なる者の中でユニークな自分を示さなくてはならない空間である。その「世界という空間」に対して「社会という空間」における平等は均一化であり、画一化である。労働と仕事の違いが失われて、全ての人の価値が労働力であるとみなされるような社会においては、平等はそのまま画一化・均一化である。「何らかのかたちで賃労働に従事しないような消費者や市民など、不労所得者（利子生活者）以外には存在しない」（柄谷行人『世界史の構造』四三九頁）とみなされている社会においては、その賃労働に従事する労働者は単なる労働力でしかないのである。このような社会では、既に述べたように、労働者たちは「個別性やアイデンティティの意識をことごとく本当に棄て去る」（アレント『人間の条件』三四〇頁）ことを要求される。ユニークであること、卓越していることはむしろ、社会的平等にとっては攪乱要因でしかないのである（本書第二、三章）。社会という空間は「人びとが、他人と取り換えることのできない真実の自分を示しうる唯一の場所」としてあるわけではない。自分自身を他人と同じ画一的な労働力の一単位として認識する（しなくてはならない）空間なのである。都営住宅の設計者選定において選定基準は金銭である。それが可能なのはすべての設計者が均一化・画一化されているという前提があるからである。東京都都市整備局の担当者が選ぶのは卓越した設計者ではなくて、均一化され画一化され、同程度の能力を持つ設計者の中から、金銭的に最も安価な設計者を選んでいるのである。設計者は単に「労働力」でしかないのである。設計者が自らを商品として売っているのは卓越した技能ではなく「労働力」である。「労働市場に持ち込まれて売られるのは、個人の技能ではなく『労働力』となる。この『労働力』は、生きている人間ならだれでも、だいたい同じくらいの量をもっている」（同書、一四三頁）。設計者もまた画一化された労働力の一単位なのである。彼らは自らの生計を立てるために（「循環する生命過程」を維持するために）働いている労働者である。少なくとも発注者側からはそのように認識されているのである。繰り返すが、古代ギリシアではそのように労働すること、つまり生命を維持するためにのみ労働することは「奴隷化されること」（同書、一三七頁）に等しいとみなされていた。賃労働による労働者である。都営住宅の設計者のことである。

官僚制的行政においては無思想性がその原則である

建築の設計という〝物化〟の場面において官僚制的支配が執行される。設計者たちは東京都都市整備局がそれまで供給してきた「標準設計」に基づいて設計することを求められるのである。

標準設計を命令する官僚制の端末はただの分配者である。従来までの分配の原理をただ追認し執行する執行人である。標準設計を決して疑わない。なにも考えない。ただ命令を執行する。「純粋な行政（官僚制的行政）」においては考えないこと、つまり「思考欠如（thoughtlessness）」（アレント『人間の条件』一六頁）が執行人の原則なのである（因みに、『イェルサレムのアイヒマン』（二二一頁）では、その同じ言葉が「無思想性」と訳されている。その「無思想性」こそが、アイヒマンが「あの時代の最大の犯罪者の一人になる素因だった」（同頁）とアレントは言う）。そしてその命令に従う設計者もまた「無思想性（思考欠如）」を求められる。なぜなら、彼らは単に賃金を得るために働く均一化された労働者の一人だから（にすぎないから）である。標準化された労働の従事者だから（にすぎないから）である。卓越は求められていない。思考することを求められていない。均一な労働力の一単位でしかないのである。「社会という空間」は「卓越を匿名化」（『人間の条件』七三頁）するとアレントが言うのはそのような意味である。

「社会は、それぞれの成員にある種の行動（behavior）を期待し、無数の多様な規則を押しつける。そしてこれらの規則はすべてその成員を『標準化（normalize）』〔邦訳では「正常化」〕し、彼らを〔標準に従うように〕行動（behave）させ、自発的な活動や優れた成果を排除する傾向をもつ」（同書、六四頁）。“behavior”とは慣例に則った行動のことである。標準化された行動のことである。官僚制の局地的端末において命令に従って設計者が標準設計に基づいて設計するという行動のことである。命令する側とその命令に服従する側との間に「無思想性」という相互関係が成立するのである。この「無思想性」という相互関係こそが官僚制的支配の本質なのである。官僚制はその官僚制の内側にのみ「無思想性」が内在しているわけではない。それを敷衍する制度なのである。「官僚機構にとらわれてしまった人間はもうすでに有罪なのだ」（アーレント「フランツ・カフカ再評価」九九頁）とアレントは言う。命令する側とその命令に服従する側とはすでに共犯なのである。設計者は「業者」として官僚制的支配の「無思想性」に組み込まれる。その命令に従順に従うことによって「無思想性」そのものが無意識化されるのである。その無思想性が「すでに有罪」であるにもかかわらずそれに気が付かない。有罪であるという意識そのものが無意識化されるのである。

〝物化〟というプロセスが官僚制的に支配されることによって、支配と服従の関係それ自体が無意識化されるのである。

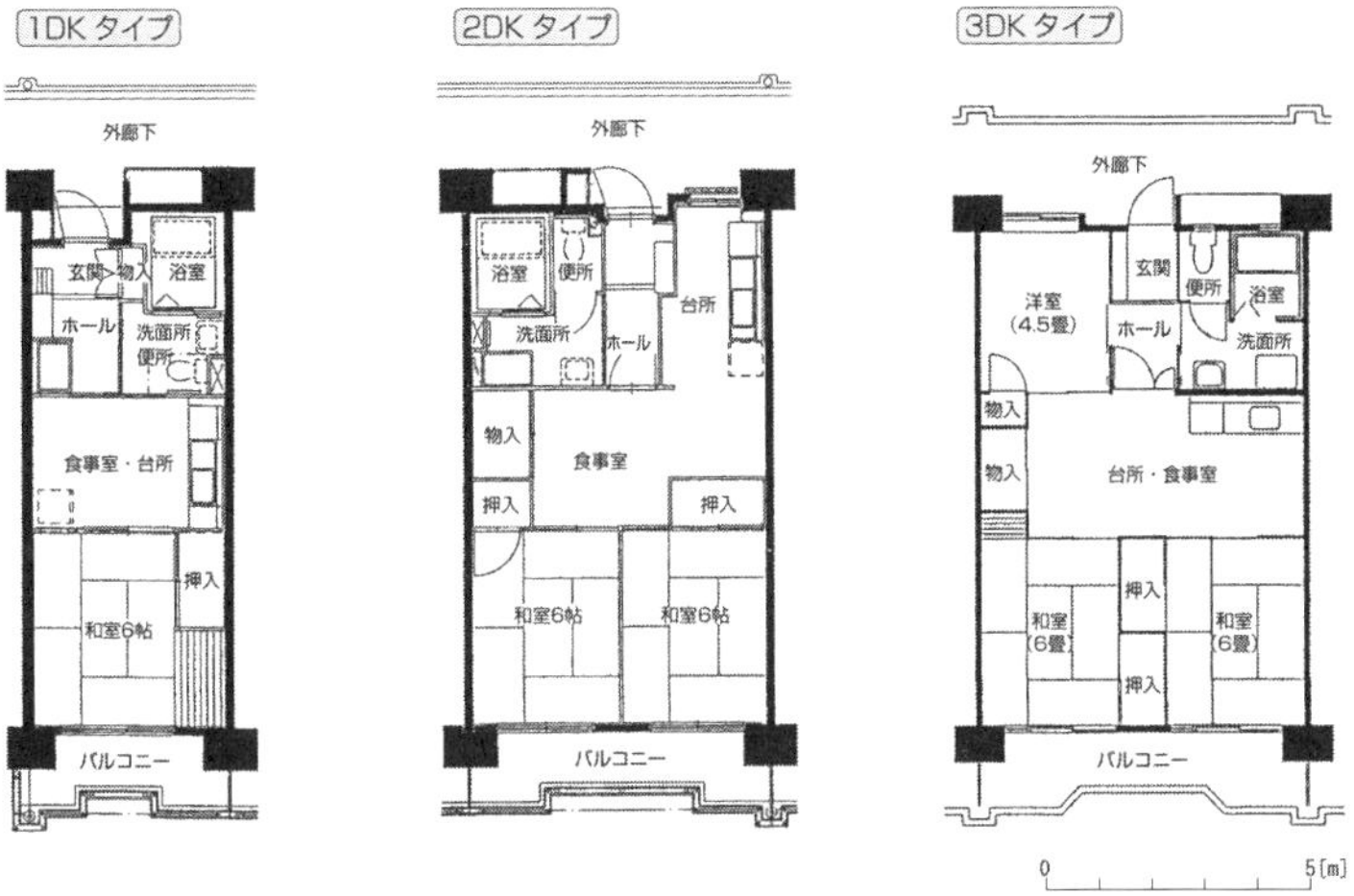

図1　都営・都民住宅標準間取図（出典：東京都住宅供給公社ホームページ）。都営住宅の標準的平面図。住戸は玄関の鉄扉によって外から厳重に隔離される。食事室から各個室にアクセスするような動線計画である。各個室のプライバシーを守るためである。さらに北側アクセス、南側採光を守ろうとするために、食事室は直接採光のない部屋になってしまっている。

4　標準的空間

国民を標準化するための住宅政策

都営住宅の標準設計の平面図は次のようなものである（図1）。設計者はできるだけ忠実にこの標準設計の再現を求められる。平面図だけではない。構造システム、設備システム、詳細図のほとんどすべてが標準化されている。東京都は『標準設計図集』という克明な設計マニュアル本を発行しているのである。その『標準設計図集』に則って設計するのが設計者である。建築の設計者が登場する以前に設計は標準設計として既に終わっているのである。設計者の役割はその標準設計に則ってただトレースするに等しい。窓や扉の枠周り詳細、断熱材の入れ方、手すりの作り方すべてが標準化され

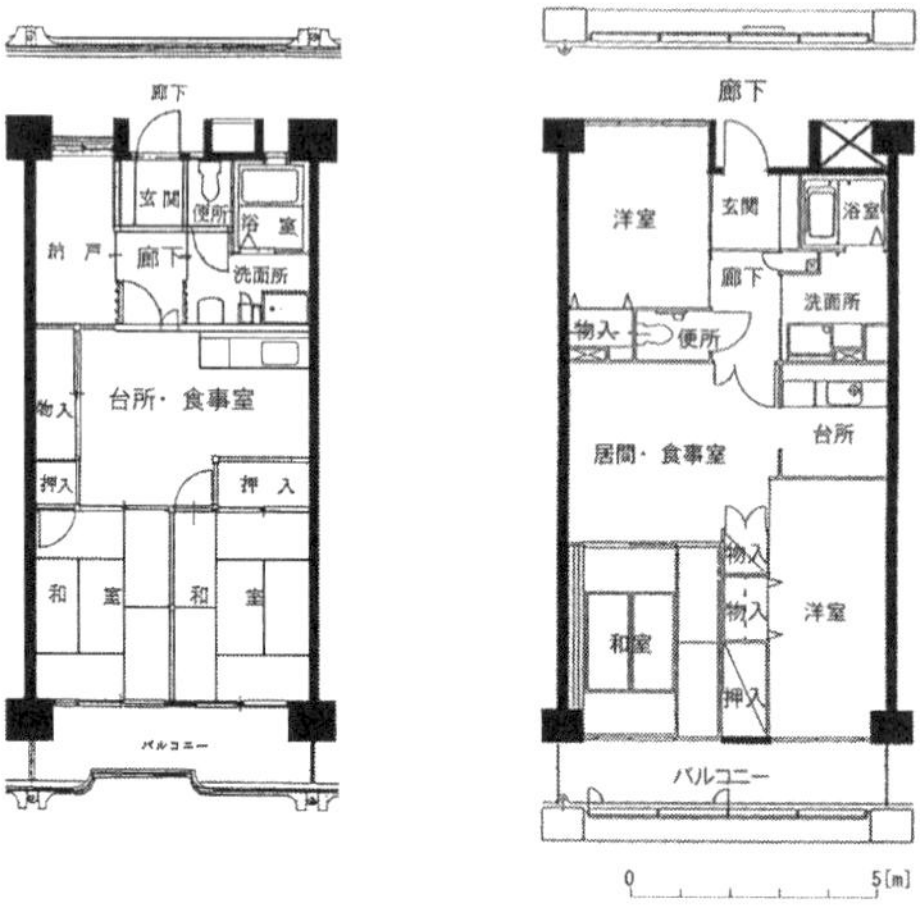

図２　都営住宅実例（出典：東京都住宅供給公社ホームページ）。春江町３丁目アパート2DK＋Sタイプ（左）と北青山１丁目アパート3LDKタイプ（右）の平面図。基本的には標準設計と全く同じ構成である。

ているのである。その標準設計に従って設計された都営住宅の平面図が図２である。基本的にはなにも変わらない。設計者自らが考える余地はほとんど残されていないのである。ユニークな発想や卓越した才能は問われない。「自発的な活動や優れた成果」は期待されない。だから設計料は安くていい。それが都営住宅の設計である。東京都都市整備局が「都営住宅は標準設計に基づいた定型的な建築物」だと言うのはこのような意味である。

設計者は標準設計に従わねばならない。標準設計に従順に従うことが設計者の社会的役割なのである。

そして、こうして標準化された住宅に住むことによって、その住人もまた自らを他の住人と同じ標準化された住人として認識するのである。実際、第一次世界大戦後のヨーロッパにおいて、そして第二次世界大戦後の日本において、住宅は国民を標準化するための最も重要な〝規律・訓練〟装置だったのである。平面図を見て分かるように、都営住宅の平面構成の特徴は、住戸（家族）の外側に対するプライバシー（隔離）と各部屋（各個人）のプライバシー（隔離）という二重のプライバシー（隔離）である。その二重のプライバシーはアルバート館、ミュルーズ労働者都市から続く労働者住宅の特徴であった。なぜ同じ特徴を持っているのか。すでに述べてきたように労働者住宅は労働者（住人）を管理するための管理施設だった。都営住宅もまた管理施設としてつくられているからである。規律・訓練装置である。

社会は標準的空間によって体系化される

「規律・訓練（discipline）がおこなう最初の処置は、空間への各個人の配分である。そのため、規律・訓練はいくつかの技術を使用する」（フーコー『監獄の誕生』一四七頁）。「いくつかの技術」とは建築の平面計画、動線計画における設計技術である。それは以下のように設計される。

(1)「規律・訓練は、閉鎖を、つまり他のすべての者には異質な、それじたいのために閉じられた場所の特定化を要求する」（同頁）。

(2)「各個人にはその場所が定められ、しかもそれぞれの位置には一個人が置かれるのである。集団（グループ）ごとの区分をさけること、集団中心の配置をばらばらにすること」（同書、一四八頁）。

住宅はプライバシーのためにその外側から閉じられた空間でなくてはならない。その密室化された住宅は他の住宅とは相互に隔離されている。それらが集まって一つの集団（グループ）をつくることはない。つまりコミュニティをつくることはない。そのように設計されているのである。それが標準化された住宅である。既に述べたように、その標準化された住宅がいかにも社会的要請であるかのように供給される。標準化された住宅のその〝物化〟というプロセスは、官僚制的支配の空間化（建築化）である。そしてその空間の中では、それが官僚制的に支配されているということが無意識化されるのである。なぜならその空間は社会的要請によってできあがっているからである。そのように認識されてしまうからである。〝物化〟というプロセスが無意識化されることによって、その「社会」は官僚制的に支配されるのである。でも、私たちは支配されていることに気がつかない。フーコーの言う規律・訓練装置とはそのような、支配されているという意識が無意識化される装置なのである。

住宅だけに限らない。そもそも二〇世紀初頭の建築の設計原理が標準化だったのである。標準化されるためには建築は用途によって類型化されなくてはならなかった。

(3)「機能的な位置決定の準則が、建築術によって一般的には流用可能とされ幾多の用途に供されていた空間を、規律・訓練中心の諸施設では徐々に記号体系化しようとする」（同書、一四九頁）。

それまで、例えば一八世紀までの中世都市のように、修道院やギルドのような中間集団がそれぞれの地域社会の中で経済、居住そして教育や医療や介護や福祉など幾多の用途を担ってきたとしたら、それが「居住専用の住宅」、「病院」、「介護施設」、「学校」、「図書館」、「美術館」というように用途ごとに類型化（記号化）されていったのである。類型として極めて厳密に切り分けられ、標準化（記号化）された建築はどのような場所でも、その場所の固有性に左右されることなくそこにつくることが可能になった。そしてどのような場所であったとしても、まったく同じようなサービスを受けることが可能になったのである。どのような利用者であってもその利用者たちの個性とは無関係に供給されるような標準化された建築である。場所を選ばない、利用者を選ばない。それが標準化である。実際、その類型は様々な場所にその場所の特性とは無関係に配置されていったのである。社会全体がそうした標準的空間によって体系化されていったのである。建築空間による社会の記号体系化である。それは規律・訓練のための空間の体系化であった。つまり、建築の標準化は、その建築の建てられる場所の標準化であり、利用者、生活者の標準化だったのである。

二〇世紀初頭のヨーロッパの建築家たちにとって建築の標準化は最大のテーマだったのである。それは労働者（国民）の標準化という社会（国家）の要請と完全に一致するものであった。「社会というものは、いつでも、その成員がたった一つの意見と一つの利害〔金銭という利害〕しかもたないような、単一の巨大家族の成員であるかのように振舞うよう要求する」（アレント『人間の条件』六二頁）。そうした「画一主義は、結局のところ、ヒト〔種としての人間〕の一者性（the oneness of mankind）にもとづいている」（同書、七〇頁）。全ての国民は同じ平等な人間であり、同じ賃労働者である。建築の標準化は、全ての国民（労働者）の平等という国家（社会）の要請である。国家（社会）の要請に従って建築は標準化されていったのである。標準化は二〇世紀の建築の最大の特徴であった。「社会という空間」のための建築である。建築を用途によって類型化し、それを標準化することは国民の標準化（規律・訓練）が目的だったのである。国民の標準化は官僚制的社会の統治システムの根幹だった。今でも建築の標準化はその根幹を支えているのである。でも「社会という空間」の内側にいる私たちからはその統治システムそのものが見えない。標準化された建築空間それ自体が無意識化されるからである。

5　標準化という美学

機械の作業能力によって決定されるデザイン

近代建築運動に大きな影響を与えた〝バウハウス〟がワイマールに設立されたのは一九一九年である。バウハウスは国立のデザイン学校であった。芸術そして工芸、建築の教育機関である。ワイマール共和国ができたその同じ年にデザインの合理性をその教育理念としてつくられたのである。デザインの合理性とは生産力の向上のためのデザインという意味である。それは一九〇七年につくられた〝ドイツ工作連盟〟から受け継いだ理念であった。〝ドイツ工作連盟〟には、芸術家、建築家、資本家、製造業者、政治家等多様な人たちが参加した。それは国家によって主導されたデザイン運動だったのである。「その目的は『芸術、産業、工芸、商業、各界の最高の代表者を選び、あらゆる努力を結集して、製品の質の向上をめざし、さらに高い品質の品物を生産する能力を有する者、および生産せんとしている者、すべてに対する集会の場所を形成しよう』ということであった」（ペヴスナー『モダン・デザインの展開』二五頁）。ワルター・グロピウス（バウハウスの初代校長）、ペーター・ベーレンス、オルブリッヒ、ブルーノ・タウト等初期の近代建築運動の担い手たちがメンバーだった。その中心にいたのがヘルマン・ムテジウス（一八六一―一九二七年）である。ムテジウスは建築家であると同時にプロイセン商務貿易省の技官だった。一八九六年から一九〇三年までの七年間ドイツ大使館付きとしてロンドンに滞在し、その間にイギリスの住宅を調査し、そしてアーツ・アンド・クラフツ運動をドイツに紹介している。イギリスにおける「新興の社会層（労働者階級）のための建築フォルム、そして、その社会層が定義しようとした『形式にはとらわれないが洗練されている生活様式』を見極めようとしていた」（シュワルツ「ヘルマン・ムテジウスと初期ドイツ工作連盟」一三頁）のである。そのイギリスでの経験が〝ドイツ工作連盟〟のデザイン運動に結びついている。批判的に乗り越えようとしたのである。「ムテジウスは、輸出ならびに工業的大量生産の条件のために国家が行う市場活動のためには、（一つの製品として）完結ししかも再認可能（量産可能）な現象形態（形の必然性）が必要であることに鑑みて、個人的で前衛的な個別の芸術活動を工作連盟の主題領域から追い出そうとした」（ロート「ヘルマン・ムテジウス、調和的文化、近代的様式、ザッハリヒカイト」四〇頁）のである。

つまり、国家的な支援によって世界市場で売れるような商品を生産しようとしたのである。その商品は優れたデザインでなくてはならなかった。しかしそれは個人の卓越に基づくようなデザインではない。個人の卓越によって達成される製品の唯一性という価値ではなく、大量生産によって達成される製品の価値を求めようとしたのである。「世界の物」（アレント『人間の条件』二二五頁）として「人びとの間にあって、人びとを関係づけ、人びとを結びつける」（同書、二九六頁）ような「耐久性のある物」の価値（worth）とは全く違って、使われる物、役に立つ物、消費される物としての価値（value）である。「有益性（usefulness）という名の手段性（instrumentality）」（同書、二六三頁）が物としての価値になったのである。そしてそれはかけがえのない一つの物ではなく、量産される物である。商品としての物である。商品は量産に相応しい形でなくてはならない。そのために「その形がなによりもまず機械の操作によって決定されるような生産物が設計されるに至っ」（同書、二四二頁）たのである。「機械の作業能力に合わせて対象物を設計するというのは、手段＝目的カテゴリーの完全な転倒」(同書、二四三頁)である。ムテジウスは設計するという意味を転倒させようとしたのである。「機械の作業能力に合わせて対象物を設計する」ことは設計しデザインすることが機械の性能に従属することを意味する。手段が目的になってしまったのである。それが「ザッハフォルム」である。「機械がつくる物」である。ムテジウスはその「機械がつくる物」に美学を与えようとしたのである(図3)。

図3　上:ザッハフォルム(出典:池田祐子監修・編集『クッションから都市計画まで』146-147、150-151、219頁)。ベーレンスのデザインによる電気ポットと扇風機。ベーレンスはタービンから家電まで扱うメーカーAEGの専属デザイナーであった。機械によってつくられる商品の合理性(ザッハフォルム)が当時は最先端のデザインであった。下:AEGの商品のための販促媒体。グラフィック・デザインはバウハウスの重要なカリキュラムのひとつであった(出典:Buddensieg, *Industriekultur,* S. 259)。

デザインは国家戦略だった

その美学の中心は「規格化（Typisierung）」と「ザッハリヒカイト（Sachlichkeit）」であった。ザッハリヒカイトは即物主義である。即物主義という美学である。「装飾のない工業的な大量生産品の造形へと動機づけるためには、純粋なザッハフォルム（Sachform）ないし技師の造形の芸術的価値を高める必要があった。そのために、ムテジウスは、……単に有用なものや装飾されていないものに伝統的アカデミーが与えてきた低い評価を取り除き、純粋なザッハリヒカイトと目的のみに制約された形式のなかに、すでに芸術的質のあることを証明しようとした」（ロート「ヘルマン・ムテジウス、調和的文化、近代的様式、ザッハリヒカイト」三四頁）のである。それは機械の美学であり、均質性（あるいは同質なものの繰り返し）の美学であった。「ムテジウスは『芸術と機械』という論文のなかで、この機械美学が徹底した説得力を持ちうるのは美的な『対象の形式』が『工場生産方式の生産』と実際に合致するときであるとするテーゼを展開している」（同書、三五頁）。

「機械的生産で手仕事の装飾芸術を模倣しようとするのは殊更に難しい」（同頁）というのがムテジウスの考え方であった。「アーツ・アンド・クラフツ運動」に対する批判だった。ドイツという国家の繁栄のために機械生産に相応しい新たな美学が必要だったのである。他国よりも優れた工業製品を生産することがムテジウスの国家的使命だった。「『装飾されていないザッハフォルムの美』というスローガンが工作連盟の周囲でまさにポピュラーとなった」（同書、三七頁）。それは正に国家的なスローガンだったのである。「ドイツ工作連盟は、そのため（美術工芸による世界のプロパガンダのため）の組織であり、それを自らの最も主要な課題のひとつとみなさねばならない」（スタイン「第一次世界大戦中のドイツ工作連盟の国際戦略について」二三四頁）。一九一四年に開かれたドイツ工作連盟のケルン展覧会で、実際、ムテジウスはそのようにスピーチしている。機械生産によって優れた（売れる）商品をいかにつくるか、それが「ザッハフォルムの美」というスローガンだったのである。そのデザイン運動はイギリスやフランスに立ち遅れたドイツの正に国家戦略だったのである。

その美学はそれをつくる主体の不在である。工業製品の美しさは、建築家やデザイナーの才能という主体の卓越性によるのではなく、彼らの役割は素材そのものが持っている性質を引き出すことであり、それをつくる機械の性能に相応しい必然的な形（ザッハフォルム）を引き出すことなのである。形の必然性のためには、建築家やデザイナーの主体性はできる限り消し去ってしまうべきだと考えられたのである。建築家やデザイナーの主体性が介在しない形態こそが必然的な形態だと考えられた。純粋な形態である。

全体主義に対して無力だったバウハウスの建築家たち

こうしたムテジウスの理論が直接的にバウハウスの理論に受け継がれていったのである。「二〇年代の芸術理論の特徴は、優れたものとはすなわち、職人的能力と理論的正しさと、さらに加えて素材そのものに潜む可能性を引き出す直覚とが生み出す成果に過ぎないということを必死に証明しようとしたことにある」（アーレント『全体主義の起原3』五〇頁）。「職人的技能や能力を強調」（『人間の条件』三三六頁）したのである。機械の能力に従うこと。素材の性質に忠実に従うこと。それが職人的技能である。作者の主体性はそこに介在してはならない。建築家やデザイナーの自由なイニシアティヴを許してはならない。つまり優れた工業製品は社会の要請に忠実に従うことによってつくられる、ということを証明しようとしたのである。「これを典型的に示しているのはバウハウスの美術理論である」（『全体主義の起原3』五一頁、注46ａ）。建築家やデザイナーたち自身のこうした態度は結果的に「社会」（産業化社会、市場社会、大衆社会、消費社会、官僚制社会）への迎合に繋がっていった、とアレントは指摘する。「社会」（国家）に対する批評性を失っていったというのである。実際、建築家を含む「知的、芸術的エリットのうちの全体主義運動の信奉者たち」は「われわれを暗然とさせるほどに多かった」（同書、六〇頁）。それにもかかわらず「全体的支配の機構に対しては彼らがおよそいかなる影響力をも持たなかった」（同頁）のは当然だった。ただ社会の要請に従属し、社会に対する批評性を失った建築家たちは「本質的ではない役割に過ぎなかった」（同頁）のである。全体主義の「運動が権力を握ったところではどこでも、このシンパサイザーのグループは真先に切り捨てられ」（同頁）たのである。全体主義運動というのは、ファシズムでありロシアのボルシェヴィズムである。その両者を指してアレントは全体主義運動と呼ぶ。全体主義国家というのは「純粋な行政（官僚制的行政）」による国家である。社会の統治システムが「国家規模の『家計』に変形」（『人間の条件』九〇頁）されてしまった国家である。つまり社会化された国家である。そしてその国家が「超人間的家族の模写」であるように運営される。全ての国民がその超人間的家族の一員であるように「規律・訓練」される。それが極限にまで推し進められた国家である。そこでは社会的要請はそのまま国家的要請である。社会の要請に忠実に従うような方法を編み出した建築家たちは、それがどのような国家権力であったとしても、その国家的要請に対しては全くの無防備だったのである。ナチズムに対してもボルシェヴィズムに対しても全く無防備だった。バウハウスのそうした建築家たちに対してアレントは極めて批判的だった。社会（国家）に対する迎合は自らの主体性を否定することになるからである。

その主体性、「知識人や芸術家のイニシアティヴ」こそが「全体支配」にとって「単なる政治上の敵よりも大きな脅威となる」とアレントは考えていた（『全体主義の起原3』六〇頁）。主体性とは意志の力である。他の何者とも取り替えることができない私という主体の意志である。この全体主義が「精神的活動の高度な形式をすべて徹底的に抑圧するのは、理解できないものに反撥するという自然な感情よりもっと深い原因から出ている。全体的支配は完全には予見し得ないような行為を認めることができないから、どの生活領域にも自由なイニシアティヴを許せないのである。それ故に、権力を手中に収めた全体主義運動は、たとえ運動に共感を寄せる者であろうと才能と天分に恵まれた人々をすべて容赦なく追い払って、その後に山師と馬鹿を据えざるを得ない」（同書、六〇―六一頁）のだというのである（実際、バウハウスはナチが政権をとった途端にすぐさま閉鎖されてしまった。グロピウスとミース・ファン・デル・ローエはアメリカに亡命し、二代目校長だったハンネス・マイヤーはロシアに亡命した）。全体支配はナチズムやボルシェヴィズムだけを指すわけではない。官僚支配が既に全体支配なのである。そしてそれを社会的要請であるかのように錯覚する「馬鹿」、あるいは意図的にその錯覚を利用して、官僚支配に迎合する「山師」が既に全体支配の一員なのである。アレントは「知識人や芸術家のイニシアティヴ」に大きな期待を寄せる。彼らの精神的活動が現実的な作品として〝物化〟されるからである。作品とは〝物化された思想〟である。〝物化〟されることによって思想は共有され共感されるのである。つまり多くの人々によって見られ聞かれ共有され共感されることによって「作品」として承認される。それが「作品」であるためには「世界の物」として共感され承認されるというプロセスが介在しなくてはならないのである。それは官僚支配による承認とは全く異なるプロセスである。だからこそ全体支配にとって「単なる政治上の敵よりも大きな脅威となる」のである。それをアレントはよく知っていたのである。

「装飾されないザッハフォルムは自ずと美しい」。そのような考え方（つくる主体の意志を全否定しようとする考え方）によってつくられる物は「世界という空間」ではなく「社会という空間」をつくるための物である。消費される物である。建築家は、その主体性（思想）が問われるのではなくて、社会的要請（命令）に忠実に従うその執行者として認識されるようになっていったのである。「社会という空間」においては個人の「生産性や創造性が理想とされず、偉大さの観念そのものの源泉となりうるすべての経験」（『人間の条件』三三六―三三七頁）が抹殺されていったのである。

工業製品はそれ自体として完成度の高い完結した形態を持たなくてはならない。つまり美しい製品でなくてはならない。しかも芸術家の「作品」のような唯一性ではなく、規格化されて常にそれは複製（量産）されることができなくてはならない。ドイツという新興国家の「新興の社会層」のために、質の高い、そして「機能的」で安価な製品を大量に生産する必要があったのである。住宅もまた工業製品のように製品化されるものでなくてはならなかった。戦争で住む場所を失った「新興の社会層」のために大量に生産される必要があったのである。

規格化された住宅の大量供給は地域性を排除する

実際、大量の住宅が供給された。公的資金によって援助された「公益住宅企業の設立も相次いだ。たとえば、労働組合を基盤とした企業としては、被雇用者連盟を母体として設立されたGAGFAH：一九一八年、一般ドイツ労働組合連合によって設立されたGEHAG：一九二四年などがあった」（小玉徹ほか『欧米の住宅政策』一〇六—一〇七頁）。GEHAG（公益住宅貯蓄建築組合）の顧問建築家だったブルーノ・タウト（一八八〇—一九三八年）は、一九二四年から日本に亡命する三三年までの間に一万二〇〇〇戸の住宅を設計している。規格化され標準化されていなければ、とてもそれだけの数の住宅は設計できない。正にこの時代の建築家たちのテーマは規格化され標準化された住宅だったのである。それが社会的（国家的）な要請だった。どのような住宅をどのように供給するか、ということが、第一次世界大戦後、「経済的に組織された社会」として整備されようとする国家の、正に国策プロジェクトだったのである。国策としての住宅政策はその規格化であり標準化だった。そしてその標準化された住宅は単に建築の標準化ではなく、そこに住む住人の標準化だったのである。「規格化は、とりもなおさず住宅の地域性を喪失させることになった。たとえば、GAGFAHは各地に多くの子会社を設立していく過程で、意識的にその地域性を排除し広域大企業化していった」（同書、一〇八—一〇九頁）のである。

その当時の建築家たちの提案が左図のような住宅群である（図4）。規格化されすべてが標準化された住棟がどこまでも続く風景はまるでシュルレアリスムの絵画のようである。実際、ここに住む住人はジョルジョ・デ・キリコの絵の登場人物のように顔のない人びとである。場所が抽象化され、住

図4　ルートヴィヒ・ヒルベルザイマー“Project for a High-Rise City”（出典：Riley and Bergdoll, *Mies in Berlin*, p. 49)。ヒルベルザイマーによる集合住宅の提案、全く同じ標準化されたユニット「1住宅＝1家族」が繰り返される。窓の配置がその均質性を強調している。同じ住棟がどこまでも続くような配置計画は、それ自体が一つの美学であった。人の気配のしない極めて抽象的な都市の風景である。

む人びとも抽象化されている。住棟が反復される。一つの住戸、住棟が繰り返し複製される。社会的要請に基づいて、その要請に忠実に応えるような建築である。抽象化それ自体が美学だったのである。

「かりに複製技術が芸術作品のありかたに他の点でなんらの影響を与えないものであるとしても、『いま』『ここに』しかないという性格だけは、ここで完全に骨ぬきにされてしまうのである」（ベンヤミン「複製技術の時代における芸術作品」一三頁）。ムテジウスの理念をその発端として、二〇世紀の建築家たちから、〝「いま」「ここに」しかない建築〟という意識が急速に失われていったのである。複製される建築は、どのような都市環境であったとしても、その都市環境とは関わりなくつくることができる建築である。規格化され、抽象化された建築をつくろうとする建築家の意識から、既存の都市環境との関係という意識そのものが失われていったのである。

6 「1住宅=1家族」システム

四つの壁に囲まれて幸福になる人びと

それでは規格化・標準化され、複製された住宅に住む抽象化された住人とはどのような住人なのか。

ミュルーズの労働者住宅の住人は産業資本家によって管理される労働者だった。住宅はその工場で働く労働者の管理のためにつくられたのである。それは「一つの住宅に一つの家族が住む」という管理の方法が、労働者の管理に極めて有効だという管理空間の発見であった。その管理空間が国家規模にまで拡大されたのである。それは家族をプライバシーという檻の中に閉じ込めるという方法であった。外側との関係を持たない空間構成である。「1住宅=1家族」システムである。

それまでの「家」は公的領域の中にあった。既に述べたように「家」それ自体が公的領域（public realm）と私的領域（private realm）の相互の関係を調停する役割を担っていたのである（第一章の図4参照）。その家からプライバシーだけのための空間（private sphere）を切り取って、それを家族のための「親密な空間」として孤立させるような空間構成である。「閾」(no man's land) を持たない空間システムである。「親密な空間」は「循環する生命過程」のための空間である。生命を産んで育てるための空間であり、自らの生命過程を守るための空間である。その空間図式は以下のような図式である。一つの家族という親密な関係をその外側から切り離すような住宅の図式である(図5)。住宅はその外側との関係を持たない。住宅の外側は公的空間ではなく単なる管理空間になってしまったのである。住宅は「社会」という管理空間の中にある。そうした住宅に住むことによって、その住人はプライバシーという考え方がいかに大切かを学び、その親密な関係の中にいることが幸福だと思うようになっていったのである。「彼らは、自分の家の四つの壁に取り囲まれ、衣裳箱とベッド、テーブルと椅子、犬や猫や花瓶に囲まれて幸福になれるのである」(『人間の条件』七八頁)。

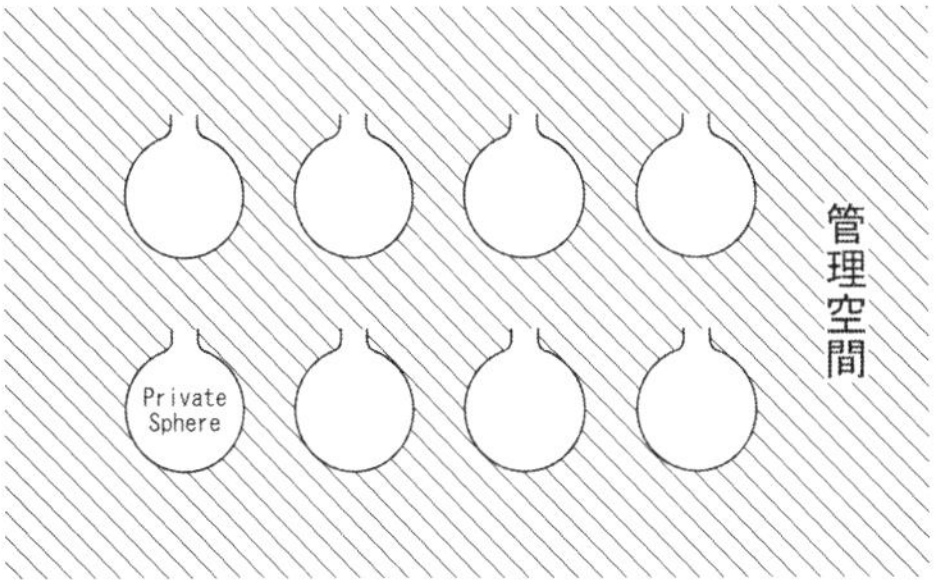

図5　概念図式（著者作成)。「閾」の失われた近代社会の住宅。ミュルーズの労働者住宅から始まった管理のための空間である。"private sphere"（第一章の図4参照）だけでできている住宅である。プライバシーのために特化された住宅である。外に対しては完全に隔離されている。その住宅が均質に並べられた住宅群が近代の住宅地の風景である。

「1住宅＝1家族」システムの性格

この「1住宅＝1家族」システムは以下のような性格を持っている。

(1)一つの住宅に一つの家族が住む（住宅の画一化・標準化。家族の画一化・標準化）。
(2)一つの住宅は極めて閉鎖的につくられる（プライバシーの確保）。
(3)隣り合った住宅は相互に干渉しないようにつくられている（コミュニティの排除）。
(4)その住宅に住む家族は自足性の高い自立単位である（家事労働、つまり「循環する生命過程」に奉仕する労働は女の役割であるという倫理観と共に住宅がある）。
(5)その住宅に住む家族は労働力の再生産の単位である（「循環する生命過程」の持続性。つまり子孫をつくる単位、生殖の単位である）。
(6)賃労働による労働者のための住宅である。

本書の第三章で述べたようなそれ（産業革命以前）までの都市の居住システムとは全く異なるシステムである。あまりにも違う。それまでの住宅は生産の場所であった。他者を招き入れる場所であった。公的空間がその内部に組み込まれていた。ところがこの住宅は単なる私的空間でしかないのである。他者を招き入れるための特別な空間がない。ただ孤立した住宅である。家族という単位の徹底した孤立化である。こうして孤立化された住宅を大量生産するという建築の形式は建築家たちにとっても全く新しいテーマであった。孤立した家族ごとにユニット化し規格化・標準化して、それを繰り返し複製するという方法が生み出されたのである。

規格化・標準化されるということは、その建築がつくられる都市環境と無関係に規格化・標準化されるということである。その建築はどのような環境であったとしても、その環境を選ばずにつくることができるわけである。それは、場所の特性や歴史性あるいはその建築を利用する具体的な利用者の特性と共に設計された一九世紀以前の様式建築の方法とは全く異なる設計の方法だった。

軸方向に厳密にならんだ均質な配置計画、全く同じユニットの反復、このような反復される配置パターンはそれ自体が既に美学であった。「生産される物のパターンを偏愛する〈工作人〉の態度が現われる」（『人間の条件』四七九頁）とアレントが指摘するように近代建築運動の美学はパターンの美学だった。場所の特性や歴史性から解放された二〇世紀の建築家たちはその「人間自身が作り出したパターンの枠の中に閉じ込められて」（同書、四五五頁）いったのである。

7　搾取されているのは労働力ではない

マルクスの言う協業は分業の再結集でしかない

「多くの人びとが計画的に一緒に、あるいは並行してともに働くならば、その労働の形式を協業（Kooperation）と呼ぶことにしよう」（マルクス『資本論』第一巻上、四七九頁）。「他人との計画的な協業を通じて、労働者は個人という枠を捨て去り、彼の類としての本質を発展させるのである」（同書、四八五頁）。

「一人の男では、一トンの重荷を持ち上げることはできないし、一〇人でやっても相当に頑張らねば無理であるが、一〇〇人でやれば、指先の力程度でできる」（ジョン・ベラーズ『工業専門学校設立提案』、同書、四八〇頁より引用)。マルクスが引用した、この一トンの重荷を持ち上げる一〇〇人は、「個人という枠」を持たない。一〇〇人の協業は労働力の単なる足し算である。全ての人がそれぞれ何の個性もない全く同じヒト(類)として扱われる。それがアレントの言う一者性(oneness)である。マルクスの言う協業は労働における協業である。重荷をもちあげる労働力として分業化された労働者が再結集される。それがマルクスの言う協業である。それぞれの労働者の同じ程度の労働力を足し合わせる。そこではそれぞれの労働者は「個人という枠を捨て去り、彼の類としての本質を発展させる」。匿名化されるというのである。「卓越を匿名化」(アレント『人間の条件』七三頁)し、単なる労働力にしてしまう。マルクスの言う協業(Kooperation)とは労働における協業である。分業の再結集にしか過ぎないのである。「つまり、ここでの要点は、協業によって個人個人の生産力が上がるということだけではなく、生産力なるものの創出である。つまり生産力とはそれ自身として大集合力でしかないのだ」(『資本論』第一巻上、四八〇頁)。協業の目的は生産力の創出である。目的は予め定められている。目的は命令される。大集合はその目的のための手段でしかないのである。どのような労働者が大集合しても目的は達成される。個々の人たちの卓越は必要とされない。

「自分を常に他人と区別しなければならず、ユニークな偉業や成績によって、自分が万人の中の最良の者であることを示さなければならなかった」というポリスにおける協業と、この匿名化された労働力による協業とは意味が全く異なる。ポリスにおける協業は「世界という空間」における協業である。一方、匿名化される協業は「社会という空間」における協業である。

建築の設計は専門家の協業である

　私たちが行っている建築の設計には様々な人たちが参加する。発注者、利用者、近隣の住民たち、建築家、構造技術者、設備技術者、土木技術者、照明デザイナー、家具デザイナー、サイン・デザイナー、ランドスケープ・デザイナー、そしてプロジェクトによってどのような人たちが参加するかは様々だが、多くの人たちとの協業（co-operation）によって建築の設計は成り立っている。協業は分業化された労働力の再結集とは全く違う。「二人の人間がその労働力を重ね合わせることができ」るという「一者性（oneness）は、協業（co-operation）のちょうど反対」である（アレント『人間の条件』一八四頁）。建築の設計は分業が成り立たない。一者性が成り立たない。一人の新たな発想が全体に影響を与えてしまうからである。構造技術者の構造解析の新たな発見が建築全体の方向性を変えてしまう。家具デザインの提案がときには建築の形を変える。あるいは近隣住民の一言が全体に影響を与えることもある。何度も振り出しに戻る。一つの目標に向かって直線的に進むわけではないのである。目標自体が常に修正される。建築の設計は「労働」ではなくて「仕事」だからである。協業に参加するすべての人たちがそれぞれに「卓越」を求められるのである。

　目的が先にあって、その目的を実現するための手段の効率化でしかない協業（Kooperation）に対して、建築の設計における協業は手段ではない。手段の効率化ではない。目的が予め与えられているわけではないのである。私たちは、その環境やその用途や利用する人たちを私たちの考え方と共に解釈して、建築の目的をその都度決定しようとする。建築のつくられる場所や使う人によってその建築の目的は常に変わるのである。仮に標準という考え方があったとしても、その標準はその都度検証されなくてはならないのである。標準はその場所の特性と共に再検証される。「生産力の創出」という意味ではこれほど効率の悪い方法はない。

建築の設計における協業（co-operation）とマルクスの言う協業（Kooperation）がなぜこれほどまでに違うのか。一方が「仕事」の協業であるのに対して一方が「労働」の協業だからである。でもその違いは全く理解されていない、とアレントは言う。共に「生産力の創出」のためとしてしか認識されていないのである。つまり「経済的に組織された社会」の内側にいる人たちにとっては、協業とは金銭的な利益のための協業なのである。マルクスの言う協業（Kooperation）のためには労働それ自体が予め分業されていなくてはならない。労働の分業「これを専門化の原理と混同してはならない。この専門化の原理は、むしろ、仕事の過程に一般的に見られるものであるが、たいてい労働の分業と同一視されて」（同書、一八三頁）いる、と言うのである。建築の設計は専門家の協業である。「仕事の専門化には、本性上、各種の技能が組み合わされ、組織されることが必要である。これにたいして、労働の分業のほうは、（一トンの重荷を持ち上げる一〇〇人のように）すべての活動力が単一であるという同質性を前提としており、それには特殊な技能はなんら必要としない」（同書、一八三―一八四頁）。私たち建築の設計者の協業は専門家の協業である。労働とは全く異なる。ところが、今の社会（官僚制的社会、大衆社会、消費社会、市場社会）の中では設計という仕事は労働と全く同じだとみなされる。分業化され匿名化された労働だとみなされているのである。

搾取されているのは卓越した仕事をしたいという意志である

なぜこのようなことが起きたのか。建築の設計という仕事は本来その場所の特性、使う人たちの固有性と共に考えられるべき仕事であった。それを標準化された「労働」に置き換えようとしたからである。「世界という空間」を「社会という空間」に置き換えようとした。「世界という空間」をつくる「仕事」を「社会という空間」をつくる「労働」に置き換えたのである。そのように置き換えたのは二〇世紀初頭の建築家たち自身だったのである。建築はその場所にふさわしいものでなくてはならない。一九世紀以前の建築家たちにとって、建築はその場所との関係で考えられるべきものだった。その場所にはどのような様式が相応しいのか。その建築は誰を表象するのか。

そうした考え方が変更された。「経済的に組織された社会」の要請に従って、その「社会」の発展のために建築がつくられるようになったのである。「社会」が「大衆社会」、「市場社会」であると考えたら、その要請は「機能」である。「社会」が「官僚制的社会」であるとしたら、その要請は「命令」である。

私たち建築の設計者は世界の物をつくる。建築は消費される物ではない。その場所に作られた建築は一〇〇年以上もその同じ場所にとどまってある。建築は耐久性のある「世界の物」だからである。「世界の物」をつくる。それが設計者の仕事である。今ここにつくられた建築は、その建築をつくった人々の思想と共に一〇〇年後の住人に伝えられなければならないのである。私たちは一〇〇年前につくられた建築を体験することによって一〇〇年前の住人の思想を体験することができる。その思想に共感することができる。建築とはそのような「耐久性のある物」である。「世界の物」である。建築だけではない。物をつくる人はたとえ労働者として扱われていたとしても、でも、実際にはこの社会の中に「できれば耐久性のある物をつけ加え」たいと思っている。その耐久性のある物によって自分が生きていた証を残したいと思っている。「世界の物」をつくりたいと思っている。現実的には労働者として扱われていたとしても、それでも「労働」を超えた「仕事」をしたいと思っている。労働と仕事の区別が失われてしまったということは、逆の見方をすれば、私という身体は労働者であり同時に仕事人でもあるということである。（私たち）労働者は労働の中に仕事を発見しているのである。そうでなくては私たち労働者は奴隷である。ただ生きるためにのみ働く奴隷的存在でしかない。

マルクスは労働力が搾取されていると言った。「労働それ自体ではなく、人間の『労働力』の剰余が、労働の生産性を説明する」（アレント『人間の条件』一四二頁）のである。「労働の剰余とは、労働者自身の再生産手段が生産された後にもまだ現存する労働力の量のことである」（同書、一六二頁）。自分が生きるために働くその労働力を超えて労働者はさらに労働する。その剰余が搾取されているとマルクスは考えた。でも搾取されているのは労働力ではない。労働の中に仕事を発見して、実際に仕事をしようとする意志である。マルクスはその意志のことを「やる気」と言った。「大抵の生産労働においては、たんなる社会的接触だけでも競争を生み出し、やる気（Lebensgeister, animal spirits）を独特に刺激し、個人個人の能力を高めるものである」（『資本論』第一巻上、四八〇頁）。「社会的接触だけでも」という意味は「社会という空間においてそこで共に労働するだけでも」という意味である。でもその「やる気」は「社会という空間」の中にあるのではない。労働の協働の中にあるのではない。「やる気」はマルクスの言うような“animal spirits”ではなくて「仕事」をしたいという意志である。何者にも代えられない私がここにいる。「見られる権利、聞かれる権利」を持ってここにいる。

私たち（労働者）は、賃労働によって決められた時間を超えて「万人の中の最良の者であることを示そうとしてきた」のである。搾取されているのはその卓越した仕事をしたいという意志なのである。「社会という空間」はそうした意志をことごとく均一化・画一化して、それを労働力と名づけて、労働力の対価としての賃金（はした金）に換えてきたのである。その意志の搾取が「社会」を発展（経済成長）させる大きな推進力になってきたのである。基本設計を一円で入札した設計者も、それでも、できれば「いま」、「ここに」しかないものをつくりたいと思って応札したのではないかと思う。そのような意志をことごとく奪い取ってきたのが「社会という空間」だったのである。

世界は過去に存在して今は失われた空間ではない

私たち（労働者）は賃労働者として、「他人によって見られ聞かれる」（アレント『人間の条件』八七頁）権利を奪われ、この世界に「存在していたという痕跡をなに一つ残すことなく去らなければならない」（同書、八三頁）。それが「社会という空間」である。

でも、その「社会」の中にあっても、それでも、私たち（労働者）は、「何らかのかたちで」自分は「万人の中の最良の者であること」を示したいと思っている。実際の私たちは労働力を時間で売る労働者などでは決してない。単なる賃労働者などでは決してないのである。「この私の主張を支持するものはほとんどない」（アレント『人間の条件』一三四頁）。なぜなら私たちは「労働」と「仕事」の区別が失われた「社会という空間」（経済的に組織された空間）に住んでいるからである。「社会という空間」の内側にいて「社会」を見ているからである。「世界」を見ることができないのである。

その「社会」の内側にいる限り、「世界という空間」は過去にあって、現在は失われた空間であるようにしか見えない。「世界という空間」を設計しようとする者は単に空想的であるかのようにしか見えない。でも、それは決して失われていない。「世界」は過去に存在して今は失われた空間ではない。今でも「世界」は私たちのすぐ身近にある。標準化された官僚制的管理空間に対立する空間である。私たち自身のための空間である。そしてそれは私たち自身の強い意志によって、未来に向けて構想され設計されなくてはならない空間なのである。

第五章

「選挙専制主義」に対する「地域ごとの権力」

1 「性現象」のための住宅

「地域社会圏」という設計課題

「地域社会圏」というのは横浜国立大学大学院（Y－GSA）の大学院生のための設計課題である。郊外なのか、商業地区なのか、高密度地域なのか、商店街なのか、山間地なのか、斜面地なのか、高齢化の進んだ場所なのか——自分で選んだ場所の様々な特性を調査して、居住のための単なる住宅ではなくて、エネルギー供給の仕組みや交通インフラ、高齢者の介護や育児や教育等を一緒に考える。そして地域の経済を考える。住宅の問題を単に「1住宅＝1家族」の問題として考えるのではなくて、インフラを含んだ地域社会との関係の問題として考えるという課題である。なぜこのような課題をスタジオ課題として選んだのかというと、私たちのそれまでの設計の方法、あるいは住宅の供給方法が根底的に間違っていたという、建築家としての深刻な反省があったからである。住宅はあまりにも私的な空間として供給されてきたのである。外側からは管理されるための空間として、そして内側からは親密な関係を守るための空間として供給されてきたのである。

戦後の日本の住宅は「居住専用住宅」としてつくられ供給されてきた。「居住」以外に何の目的も持たない建築である。一九世紀の労働者都市からバウハウスへ至る労働者住宅の思想の強い影響である。供給されてきたのは、標準的な〝一つの家族〟を前提とするような住宅であった。「1住宅＝1家族」が供給の原則である。家族の私的生活のための住宅である。「循環する生命過程」（生命を維持し、そして再生産する）のためにのみつくられた空間である。それ以外のいかなる目的も持っていない。「閾」を持たない、外側から隔離された住宅である。その徹底した隔離空間がいかに特殊な空間なのか。

「社会」という空間は他者と共にいるという感覚を剝奪する

ミュルーズの労働者住宅以来、住宅の相互隔離はそこに住む労働者を管理するためのものであった。今の日本の住宅も同じ目的によってつくられているのである。でも、そのような空間に住む私たちは、それがいかに特殊な空間なのかということを全く意識していない。こんなにも閉鎖的な形式の住宅が戦後、大量に供給され、こうした住宅こそが標準的な家族のための標準的な住宅だと私たちが考えるようになったからである。こうした住宅が大量に供給されることによって「1住宅＝1家族」という形式が標準的住宅として内面化され（刷り込まれ）ていったのである。「1住宅＝1家族」は平等という思想の〝物化〟である。すべての住宅は他と同じ住宅として供給されてきたのである。標準的な住宅である。そこに住む私たちもまた他の家族と同じ標準的な家族としてそこに住んでいる。私たちはこうした住宅に住むことによって自らを標準化された家族として仕立て上げていったのである。すでに述べた通りである。

「社会という空間」は「1住宅＝1家族」の標準化という住宅の供給システムと深く関わっているのである。でも、「社会」の内側にいて、私たちがこうした「1住宅＝1家族」の住人である限り、この「社会」の根源的な矛盾に気づくことはない。根源的な矛盾というのは「社会」が「経済的に組織された」空間でしかないということである。ただ私的な利益のみを目的として組織されている空間なのである。この「社会という空間」の中では多数の他者と〝共にいる〟という意識が徹底して排除される。すべての他者はそれぞれにただ私的な利益を目的とする他者なのである。多数性とは逆の同一性としての他者である。この社会は「平等」に依存しているというよりもむしろ「同一性(sameness)に依存している」とアレントは言う(『人間の条件』三四一頁)。「人間の多数性は、……平等と差異」によって成り立っている(同書、二八六頁)。平等ではあっても差異が失われているということは多数性そのものがもはや失われているということである。それぞれに私的利益を目的としている彼らと〝共にいる〟理由はなに一つない。それにもかかわらず私たちはこの「社会という空間」の中に彼らと共に住まなくてはならない。それこそが根源的な矛盾なのである。「社会という空間」は、他者と共にいるという感覚、他者を必要としているという感覚、他者と共に世界を共有しているという感覚を剝奪する空間なのである。

住宅はまさにそのような、世界を共有しているという感覚を剝奪するものとしてつくられ続けてきたのである。

そうした完全に私的な生活を送るということは、なによりもまず、真に人間的な生活に不可欠なものが「奪われている(deprived)」ということを意味する。すなわち「世界」を奪われている。「他人によって見られ聞かれることから生じるリアリティ(共感の感覚)を奪われている」(同書、八七頁)、「私生活に欠けているのは他人である。逆に、他人の眼から見る限り、私生活者は眼に見えず、したがって存在しないかのようである。私生活者がなすことはすべて、他人にとっては、意味も重要性もない。そして私生活者に重大なことも、他人には関心がない」（同書、八七―八八頁）。こうした現象をアレントは「孤独《ロンリネス》の大衆現象」（同書、八八頁）という。

「大衆社会では、孤独は最も極端で、最も反人間的な形式をとっている。なぜ極端であるかといえば、大衆社会は、ただ公的領域（the public realm）ばかりでなく、私的領域（the private realm）をも破壊し、人びとから、世界における自分の場所ばかりでなく、私的な家庭（private home, private sphere）まで奪っているからである」（同頁）。公的領域と私的領域は相互に関係しているわけだから、既に述べたように、一方が破壊されたら他方も破壊される。破壊された結果が「社会という空間」に結びついたのであった。「社会という空間」は金銭を唯一の目的とする空間である。それは官僚制的に管理された管理空間である。一方で「1住宅＝1家族」はその社会の中にあって、「親密なもの（the intimate）を保護するという最も重要な機能をもつ」（同書、六一頁）場所なのである。保護とは外側から管理されるという意味である。

家族が性現象に押収される

それではその「私的な家庭」まで奪われるとはどのような意味なのか。それは私的な家庭の永続性が奪われるという意味である。かつて、この私的な場所（private sphere）（古代ギリシアにおいては「ギュナイコニティス」）は「家（private realm）」のさらに内側に隠されていた。「閾」によって世界から隔離されていた。でも隔離されていたからこそ、ギュナイコニティスの炉辺の暖かさは私的生活というリアリティを持っていたのである。炉辺の暖かさはいつでもそこにあって帰ることのできる場所であった。その永続性が保証されていたのである。「家」は永続性を持ってそこにあり続ける場所だったのである。「家」はいつまでも永続する「世界」の一部だったからである。でも、現代社会では、その私的な家庭は永続性を持たない。既に見てきたように私的な家庭とは「閾」が失われ、密室化された私生活の場所であった。住宅はその永続性のためにではなく、私生活（親密なるもの）のためにつくられる。住宅は〝親密なるもの〟のための場所である。〝親密なるもの〟のための場所とは〝性現象〟のための場所という意味である。それは永続性を持たない。「親密なるもの（the intimate）は私的領域に取って代わる代用物としてはあまり頼りにならない」（『人間の条件』九九―一〇〇頁）とアレントがいうのはそのような意味である。

「性現象はその時、用心深く閉じ込められる」、「夫婦を単位とする家族というものが性現象を押収する。そして生殖の機能という真面目なことの中にそれをことごとく吸収してしまう」、「夫婦が、正当にしてかつ子孫生産係りであるものとして君臨する」（フーコー『知への意志』一〇頁）。家族が性現象に押収される。そして、性現象がことごとく生殖のためという機能に吸収されてしまう。「社会空間においても、各家庭の内部にあっても、承認された（真面目な）性現象の唯一の場は、有用かつ生産的なもの、すなわち両親の寝室である」（同頁）。労働者住宅においては、この「両親の寝室」が細心の注意をもって隔離された。アルバート館においてもミュルーズの労働者都市においても、住宅のその外側に対する隔離性と同じ注意深さで、住戸の内部にあっては両親の寝室の隔離性が重要だったのである。規格化をめざしたバウハウスの住宅理論でも同様である。「性現象がことごとく生殖のためという機能に吸収」されたのはそれが労働力の再生産と結びつけられたからであった。つまり、「性現象」が閉じ込められるようになったのは労働者住宅が供給されるようになってからなのである。それ以前は「卑俗なもの、猥褻なもの、淫らなものの基準（コード）は、十九世紀のそれに比べればずっと緩やかだった」（同書、九頁）。「性現象」は決して「両親の寝室」に閉じ込められるようなものではなかったのである。

「十八世紀になると会を催し歓談するための特別の応接室、つまりサロンがあらわれた。これらの諸室はいずれも互いに独立し、廊下に沿って並んでいた。それはちょうど、新しい廊下街路に沿うて家が建ち並ぶのに似ていた。つまりプライヴァシーの必要が、廊下という特別な共用の循環器官を生みだしたといえよう」、「十七世紀には、プライヴァシーは自我の満足とともに発達していった。貴婦人の室は、文字通り『すねてみせる場所』（buder + oir）である婦人の私室（boudoir）となり、紳士もほかの人には侵されない自分の事務室や書斎をもつことになった。またパリでは紳士が自分の寝室をもつことさえあり、妻と夫とは別々に性の冒険を追いもとめたのであった」（マンフォード『歴史の都市　明日の都市』三二八頁）。boudoir は婦人の寝室の前にある前室のことである。社交の場所であった。家全体が社交のためにつくられていたのである。性現象もまた社交の一部だったのである。

労働の労苦は自然の繁殖力によって報われる

ところが一九世紀に登場した労働者住宅では、こうした性現象が「両親の寝室」に閉じ込められたのである。「性的モラルのない労働者」を教育（discipline）し、性現象を「生殖の機能という真面目なこと」の中にことごとく吸収するためである。「このあたりじゃ、女やがきにゃ仕事がたっぷりあるんだ。けど男にはねえんだ」(エンゲルス『イギリスにおける労働者階級の状態』上、二七五頁)。労働者といっても女性も子供も労働者だったのである。「一四歳から二〇歳までの若い工場婦人労働者の四分の三が性的にふしだらである(カウエルの証言、五七ページ)」(同書、二八一頁)と信じられていた。「両性と、両性のなかの人間性とを、もっとも下劣にはずかしめているこの状態」(同書、二七七頁)は改善されねばならなかった。労働者たちに家族のモラルとは何か、性的モラルとは何か、それを教育しなくてはならなかったのである。それが労働者住宅の一方の目的だったのである。

「マルクスは、労働と生殖は、繁殖力をもつ同一の生命過程の二つの様式であると理解」していたとアレントは言う(『人間の条件』一六二頁)。「彼にとって、労働とは、個体の生存を保証する『自分自身の生命の再生産』であり〔つまり自分自身が生存するためであり〕、生殖とは、種の生存を保証する『外来の〔新たな〕生命の』生産であった」(同頁)。労働者住宅を供給する産業資本家にとって、あるいはその後の民族国家の統治者にとって、労働者はその産業あるいは国家の発展のための最も重要な労働力であった。その労働力は常に再生産されなくてはならない。そのためには管理された「性現象」の場所が極めて重要だったのである。「性現象」は管理されなくてはならなかったのである。

一方の管理される労働者の側からは労働という活動様式は「自然の定められた循環の中に留まり、甘んじてその循環を経験できる唯一の様式であり、ちょうど、昼と夜、生と死が、相互に交替するように、人間も、それと同じ幸福で目的のない規則性をもって、働き、休み、労働し、消費することのできる唯一の様式である」(同書、一六三頁)。平穏の内に一定の労働力として日々の生産の規則に組み込まれる。そして、その日々の「労働の労苦と困難は、自然の繁殖力によって報われる。いいかえると、『労苦と困難』によって自分の勤めを果たした者は、将来、子孫を残すことによって自分も自然の一部に留まることができるという静かな確信を抱くのである」（同書、一六三―一六四頁）。自分もまた「循環する生命過程」の中にあるという確信である。子孫を残すことが、〝労働力の一単位としての（そしてそれ以上の価値を持たない）労働者〟の未来に対する唯一の確信であった。子孫を残すための家族でありそのための住宅である。それは外側と一切関わりを持たない徹底して私的な空間である。それが住宅である。自らプライバシーの中に閉じこもる究極の「避難所」として完成したのである。外側からは管理のための隔離施設として、内側からは自ら閉じこもるプライバシーのための密室として住宅は設計されてきたのである。

労働者は未来に残す物をつくりたいという自分たちの精一杯の〝やる気〟を搾取され、その労苦と困難はプライバシーのための住宅に住むことによって癒やされるのである。

2　模範農場で卵を産む鶏

性現象の場所の独立性、子供部屋との相互隔離

「棚状の平行六面体は、横長、縦長があるが、それらは保管庫や倉庫の棚のように列をなして並べられるのである。住民は生産者の役を果すだけだ。子供の生産と仕事の生産の役を。そして夜になると彼は棚に仕舞われるのだ」、「この公営住宅は正に合理的に赤ん坊を生む施設として建設されたもの

で、公営住宅の住民はそれを自覚することなく、特別な棚に入れられていること、彼ら自身社会のための再生産動物で、模範農場で卵を生む工場の鶏と何ら変るところがないのではないかと思われた」（ラゴン『巨大なる過ち』三四、三五頁）。それが第一次世界大戦後のヨーロッパの公共住宅だった。住宅とは労働者の合理的な再生産施設だったのである。

第二次世界大戦後の日本の住宅も状況は全く同じだった。「住まい生活でみられる夫婦生活の障害は、旧い家族制度にもとづく親と子夫婦の同居ということばかりではない。すでに見たように、近代以前の家族生活で認められていた私生活はせいぜい『小家族』の私生活であって、個人の『私生活』は無論のこと、夫婦のみの『私生活』についても不明確な承認しか与えていなかった。それはまず第一に夫婦生活への束縛として現われて来る」（西山夘三『これからのすまい』八二―八三頁）、「過密と混合就寝は我々日本人の大部分が反省することすら忘れてしまって日々平気でやっている恥ずべき生活である。だから肉親のエロティズムを体験しない人はおそらく極めて少いのではなかろうか」、「健全な性教育のシステムをつくり出すことに我々は臆病であってはならないと同時に、性生活につきまとう制禦と儀礼とを身についたものにするために、そうした家庭生活の出来る住居がほしいのである」（同書、八四頁）。これは当時としてはかなり勇気のある発言である。同時に多くの日本人の心情でもあった。性生活（性現象）の自由こそが自由を象徴していたのである。戦時中から営団住宅の設計にかかわっていた西山は、戦後すぐに出版されたこの本で、性現象（性生活）の自由を住宅のプランニングに求めたのである。それを「食寝分離」、「隔離就寝」と言った。「性現象」の場所の独立性、子供部屋との相互隔離を平面計画・動線計画の工夫で実現しようとしたのである。設計者からのこうし

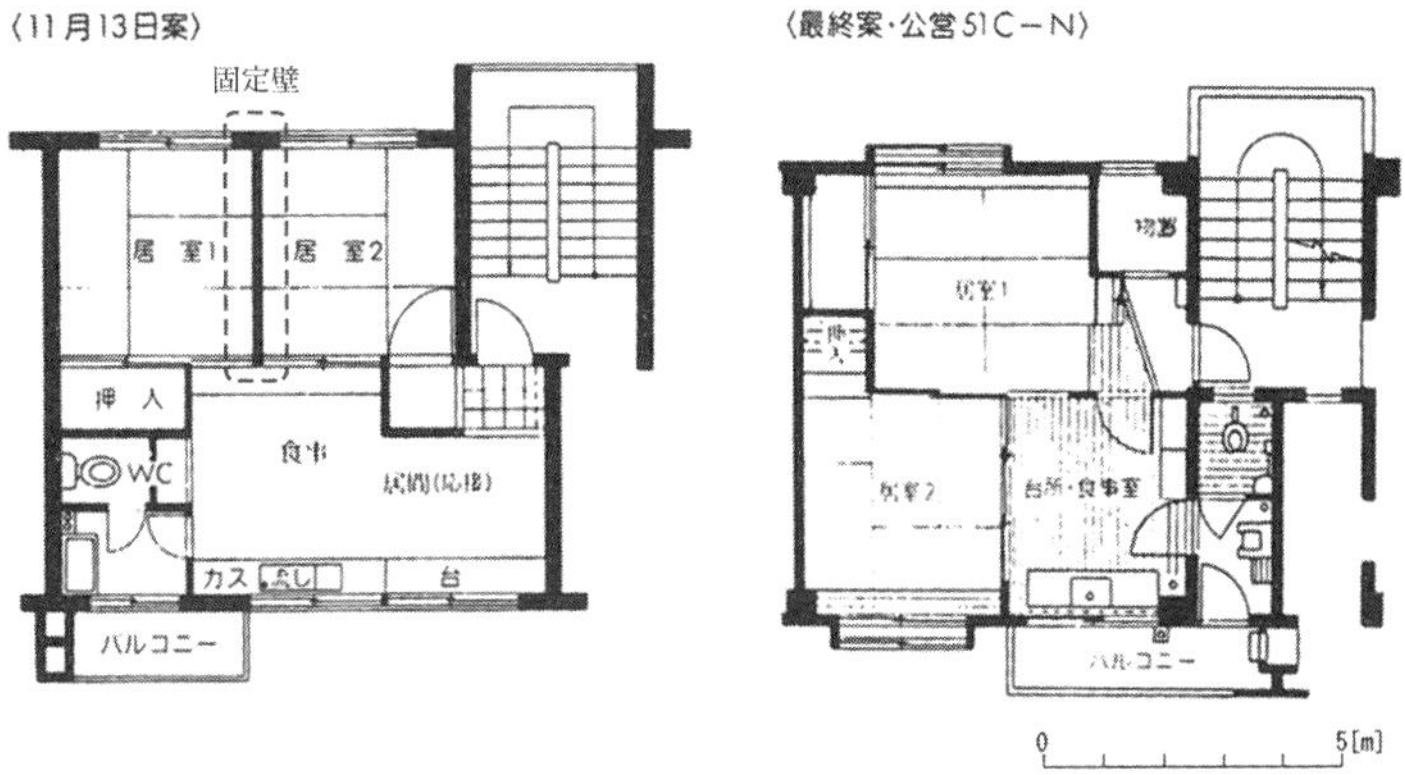

図1　51C型設計の過程（出典：鈴木成文『住まいにおける計画と文化』17頁）。51Cのためのスタディ。2室間の壁は当初は固定壁が提案された。隔離就寝のためである（51Cは吉武泰水による公営住宅標準設計）。

た考え方は、その後の日本住宅公団の標準プランになる。2DKと呼ばれるようになっていったのである（図1）。「その考え方は見事に当たり、団地は若い世代に圧倒的に支持されます。コンクリートの壁に囲まれていますから声が漏れる心配もない。安心してセックスができるというので人気が高まり、結果として公団の予想を上回るペースで子どもが生まれました」（原武史、「原・山本対談　団地がつくった新しい日本人の生活」九三頁）。

プライバシーの中心にあったのは「夫婦の寝室」であった。プライバシーとは正に「性現象」という意味であった。建築家たちはそのプライバシーを守ることを主たる目的として住宅の設計をしたのである（図2、3）。建築家にとっても、単に「性現象」のため、そして生まれた子供を育てるという役割以上の可能性を住宅に発見することがついにできなかったのである。

住宅は二七年で取り壊される

プライバシーが守られることは自由が守られることだった。「人民の自由は、その私的生活のなかにある。けっしてそれを侵害してはならない。政府をして、この単純素朴な状態を暴力そのものから守る唯一の力たらしめよ」（アレント『革命について』三九一頁）と言ったのはサン＝ジュストである。ルイ・アントワーヌ・ド・サン＝ジュスト（一七六七―九四年）はロベスピエールと共にジャコバン

図2　フィリップ・ジョンソン《ガラスの家》（出典：「フィリップ・ジョンソン邸 1949-」、『フィリップ・ジョンソン』（『GA　グローバル・アーキテクチュア』第12号）、A. D. A. EDITA Tokyo、1972年、表紙）。これ程透明であっても周りは森で囲まれた閉鎖空間である。究極の“love house”である。

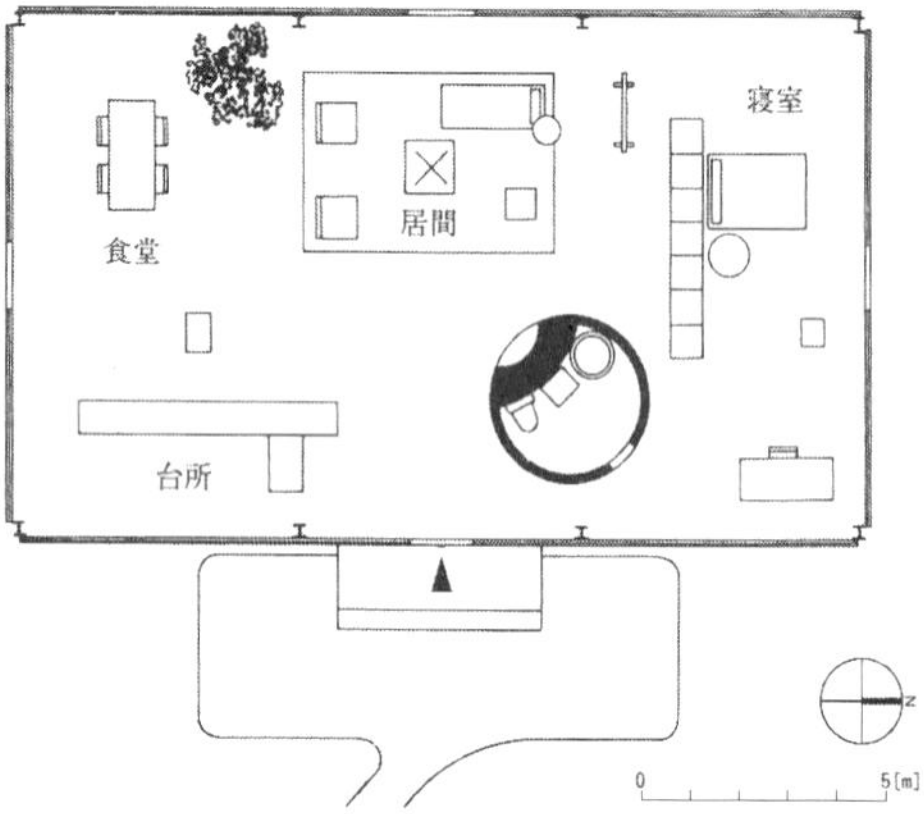

図3　《ガラスの家》平面図（出典：日本建築学会編『建築設計資料集成　居住』23頁）。

派を担った革命家である。自由は私的生活の中にある。こうした考え方は今でも私たちの中に十分に根を下しているように思う。プライバシーを守ることこそが自由の象徴なのである。それをプライバシーのためにつくられた住宅が象徴している。自由は住宅の中に閉じ込められたのである。

性現象の場所を中心にする住宅はその役割を果たし終えれば、つまり、自分の子孫を社会（経済的に組織された社会）の中に送り込めば、もはやその役割を終える。いつまでもそこにあり続ける必要はない。実際、今の日本では住宅の存続期間はわずか二七年である。物理的な耐用年数はもっと長いにもかかわらず。多くの住宅が平均して二七年で取り壊されているのである（国土交通省住宅局「住宅政策を取り巻く状況」平成二二年七月五日、社会資本整備審議会資料）。世代サイクルごとに作り替えられているわけである。両親の死（世代の交代）によって家族の持続性はいとも簡単に消滅する。二七年で取り壊されるということは、その都度、その場所に旧世代と共に、そして周辺の地域社会の人びとと共に生きていたという記憶の場所が消滅するということである。「大衆社会は私的な家庭まで奪う」というのはそのような意味である。世代サイクルごとに住宅は消滅する。そしてその住宅の消滅は都市環境の継続性も破壊する。隣に住んでいた家族がいなくなり、その住宅が取り壊されて、見知らぬ人たちが住みはじめる。あるいはディベロッパーがいくつかの宅地を集約して、マンションに建て替える。私たちの居住地ではそうしたことがすでに日常化してしまっているのである。だれも今までであった景観（exterior appearance）に注意を払わなくなってしまっているのである。景観とはそこに住む人びとの共有された記憶である。もはや記憶は共有されない。社会という空間の外観（景観）は目まぐるしく変わる。だれ一人として、その景観の継続性に気を配る人がいなくなってしまったのでである。それが社会という空間である。「孤独の大衆現象」とはそのような意味である。その人がその場所に生きていたという記憶を切り刻んで、それをことごとく金銭に変えて消費してしまう、それが「社会という空間」である。

景観（共有された記憶）は凄まじく早いスピードで変化する。「前の者のことは覚えられることがない、また、きたるべき後の者のことも、後に起こる者はこれを覚えることがない」（アレント『人間の条件』三二八頁）。それが「社会という空間」である。私たちが住んでいる空間である。「世界の物」をつくりたい、未来に手渡す物をつくりたいという意志を奪われ（労働力として搾取され）、自らの未来への確信はただ子孫を残すことでしかない。でも、その確信を記憶するような空間は一瞬にして失われてしまうのである。自分が去った後、だれからも自分が記憶されない。「1住宅＝1家族」という住宅に住む住人たちはプライバシーという密室の中に閉じ込められ（閉じこもり）、そしていずれはその場所をすら失うことになる。それは「自分たちが存在していた」という痕跡を奪われるに等しい。自分が存在していたという痕跡をなに一つ残すことなく去らねばならないことを恐怖したのはかつての奴隷たちだった。「孤独の大衆現象」というのは労働者の奴隷化そのものである。それが今の私たちの社会である。現代社会においては「孤独の大衆現象」はますます加速している。そして建築はそうした社会に奉仕するものになってしまっているのである。建築の設計者は住宅を設計し、そして次にそれを取り壊すという世代サイクルの中心にいるのである。その世代サイクルを前提とする都市空間の設計者なのである。

3　世界を共有しているという感覚

私的な利益のみを目的とする建築

ただ経済的利益を目的とするこの「社会という空間」においては、あらゆる建築は私的な利益のみを目的とする建築である。民間の建築も公共の建築も、社会の中のすべての建築は私的な利益を目的としてつくられている。公共建築は官僚制的な機構の中でつくられる。標準化される。その官僚制機構の継続性を維持することが最優先されるからである。それは官僚機構による公共建築の私物化である。一方の民間建築は投資する人の利益を最大限尊重してつくられる。それ以外の人たち、その利益と何の関わりも持たない人たちにとっては無縁の建築である。その建築は周辺環境には何の貢献もしない。そうした建築によってつくられる都市は「孤立した個人がめいめい勝手に対象物を一つ一つ付け加える関連のない諸物の堆積にすぎない」とアレントは言う（『人間の条件』三二八頁）。

この「社会という空間」に対立する空間が「世界という空間」であった。それはそこに住む人たちのためにいつまでも存在し続ける空間である。「社会」が私的利益のための空間であるとしたら、その逆に「世界」はそこに住む人たちによって共有される空間である。「世界はわれわれすべてに共有される（being common to us all）ものである。……世界が共有されているからこそ、われわれは世界のリアリティを判断（gauge）することができるのである」（同書、三三四頁）。リアリティがある、とは他者と共にその「世界」の内にいて他者の存在を実感することができるという意味である。

コモンセンスとは空間を共有しているという感覚である

すでに見てきたように「世界」は人工的な工作物によってできている空間であった。「世界は、そこに個人が現われる以前に存在し、彼がそこを去ったのちにも生き残る」(アレント『人間の条件』一五二頁)。永続性、耐久性を持つ空間である。その空間を共有しているという感覚が〝common sense〟である。「私たちの五感が〔それぞれの人にとって〕極めて個別的なものであり、その五感が知覚する情報が〔それぞれに〕極めて特殊なものであるにもかかわらず、それらの感覚を全体としてリアリティのあるものとして実感させる唯一の感覚が、〝common sense〟なのである」(同書、三三四頁)。〝common sense〟とは他者と共に同じ空間の中に居てそれを共有しているという感覚である。そして「リアリティ」とは、その共有された空間の中で、私もまた他者と同じように感じているという感覚である。他者と共に同じものを知覚して、他者もまたそれを私と同じように感じているはずだという「共感の感覚」である。「五感による知覚は、単に、私たち〔個々人〕の神経の刺激あるいは肉体の抵抗感覚として感じられるばかりではない。周知のように、それはリアリティ〔共感の感覚〕をも明らかにする。それは、この〝common sense〟のおかげである」(同頁)、「私が知覚するものが実在的である〔リアリティがある〕ということは、一方では、私と同じように知覚する他人がいるこの世界と、この知覚されたものがつながっているということによって保証されるのである」(アーレント『精神の生活』上、五九頁)。つまり、「世界という空間」の内にあって、そこで私と同じように知覚している他者を感じる、という〝共感の感覚〟がリアリティという感覚である。その感覚は他者と共に居ることの「世界」によって保証されているのである。「見る、触る、味わう、嗅ぐ、聞く」という私の五感は非常に私的なものである。「その感覚作用の質や程度を他人に伝えることができない」（同頁）。それにもかかわらずその私的な感覚にリアリティ（他者と共感しているという感覚）を確信できるのは、他者と共有する「世界という空間」の内にいるからなのである。

アレントが強調するのはこの〝リアリティ〟こそが「世界」の政治的生活を支えているということである。「政治的」とは「多数性という人間の条件、すなわち、地球上に生き世界に住むのが一人の人間（man）ではなく、多数の人間（men）であるという事実に対応している」（『人間の条件』二〇頁）。「世界という空間」の中に多数の他者と共にある。その〝共にある〟という意識が〝common sense〟であるとしたら、政治的というのは、私という個人がその多数の人間（他者）によって「見られ聞かれる」存在であるということである。「世界という空間」は「私が他人の眼に現われ《アピアー》、他人が私の眼に現われる空間」（同書、三二〇頁）なのである。「他人によって見られ聞かれる」（同書、八七頁）空間である。政治的生活というのは、他者と共に住む「世界という空間」の中で「他人によって見られ聞かれる」生活である。「この空間を奪われることは、リアリティを奪われることに等しい。……人間にとって世界のリアリティは、他人の存在によって、つまり他人の存在が万人に現われていることによって保証される」（同書、三二〇―三二一頁）のである。労働者住宅においては、そのリアリティが住宅の中に閉じ込められたのである。それはその住人が政治的生活を奪われたに等しい。それこそが統治する側の意図だったのである。

「政治とはその本質からして公的生活の問題なのである」（アーレント『全体主義の起原3』一二七頁）。それは単に「循環する生命過程」を維持するための「私生活」とは根本的に対立する生活である。そのようにアレントは言う。古代ギリシアにおいては、政治的生活とは「公的領域」における生活であった。「ポリスは各個人に……その私的な生の他に、或る種の第二の生、つまり政治の生を与える」（アーレント『過去と未来の間』一五九頁）と言ったのはアリストテレスである。それは公的領域における自由である。自由とは公的空間において「自らが関わるべきことを自らが決定する自由」のことである。「公的自由を経験することなしにはだれも自由であるとはいえず、公的権力に参加しそれを共有することなしには、だれも幸福であり自由であるということはできない」（アレント『革命について』四〇七頁）。それが自由ということの意味である。それは「人民の自由は、その私的生活のなかにある」と言ったサン＝ジュストのいう自由とはあまりにも違う。自由とは政治的自由のことなのである。自らの意志で政治に参加する自由である。それはプライバシーの中に閉じこもる自由、私的生活の中にある自由とは根本的に異なる自由である。サン＝ジュストはジャコバン派の独裁のためにむしろ、人民の自由を私生活のなかに閉じ込めようとしたのである。党派活動こそが革命を主導するもっとも重要な活動である。党派活動以外の政治活動はむしろ革命にとって障害になると考えたのである。こうした考え方はフランス革命から二〇〇年以上経った今でも、私たちの中に潜んでいるように思う。政治参加とは党派活動であり、代議制の機構に参加することだという考え方である。「自らが関わるべきことを自らが決定する自由」が政治的自由であり、それが政治に参加することだという意識は今の私たちには極めて希薄である。政治的活動は日常の生活とは無縁のところにあると思っているからである。日常の活動は「私生活の自由」が保証されるような自由でしかないのである。それが「自由」という意味の本質だと私たちは思っている。それがリアリティだと思っている。こうした考え方は住宅のつくられ方、そしてその供給の仕方と密接に関係しているのである。

私生活の自由はあっても政治に参加する自由はない

建築の設計はこのリアリティという感覚と深く関わっている。どのような建築であったとしても、その建築が実際にできあがる以前に設計者によってそのアイデア（思想）が示されなければならないからである。そしてそのアイデアが他者に共有され承認されない限りその建築は実現しない。つまり、リアリティがあると認められない限り決して実現しないのである。今までに見たこともない新しいアイデアほどそれが共感されるのは難しい。それがたとえその地域社会にとって有効な提案であったとしても、それまでの建築に慣れ親しんだ人たちに、その新しいアイデアを説明することが極めて難しいのである。だから多くの場合、それまでにあった建築と同じような考え方によって建築はつくられる。過去の例に倣うのである。特に日本の官僚制的な機構の中では過去の例に倣うことが常態化しているのである。官僚制機構（の中の一セクション）は過去に自らが実現させた建築を決して否定しない。それを否定することは官僚制機構のセクショナリズムそのものを否定することになるからである。建築は官僚制的に標準化されている。その標準が常に最優先されるのである。標準化された建築がその地域特性と全く矛盾する場合であったとしても、である。既に日本中につくりつづけられてきた標準的建築は、多くの実績があるというそれだけの理由で、リアリティがあると見なされるのである。リアリティ（共感の感覚）の根拠は特に日本においては官僚制的な機構が独占しているのである。だから、設計者が自らのアイデアを説明しなくてはならない相手は誰よりもまずこの官僚制機構に対してなのである。既に述べたように、彼らは非－主観的である。人格を持たない。彼らへの説明は自らのアイデアの説明ではなく、官僚制機構の命令にいかに忠実に従っているか、それを説明することなのである。彼らの命令は社会的要請であるという装いを持つからである。

でも、建築は常にその場所に固有の空間である。その建築にリアリティがあるかどうかを決めるのはその建築を利用する人たちであり、地域社会に住む住人である。そしてそれを提案するのは建築の専門家である。官僚機構ではない。アレントが強調するのは、このリアリティの獲得にいたるプロセスこそが政治的生活と呼べる活動なのだということである。リアリティという感覚は他者もまた自分と同じように感じているという感覚であった。そしてその感覚は"common sense"によって支えられている。"common sense"は他者と同じ空間の中に居るという感覚である。それこそが、政治的生活を支えているというのである。労働者を管理するための住宅から始まった私たちの住む住宅は「私生活の自由」については良く考えられてきたが、政治に参加する自由とは全く無縁である。それは近代建築運動の多くの建築家たちが全く意識しなかった自由である。というよりも、むしろ意図的に排除してきた自由であった。「1住宅＝1家族」という管理された住宅に住む住人にとっては本質的にたどり着けない自由なのである。ミュルーズの労働者住宅のその均質な配置計画は、できるだけ住人同士が出会わないように細心の注意深さで計画されたのである。出会うということは「私が他人の眼に現われ、他人が私の眼に現われる」ということである。そうした「他人によって見られ聞かれる」空間が奪われるということはリアリティを奪われることに等しい。そのような配置計画である。ヒルベルザイマーのベルリンのハイライズ・シティも同じ理念でつくられている。そして戦後の公団住宅の考え方も全く同じであった。他者と同じ空間の中に居るという感覚(common sense)を奪う空間である。住民の政治参加をできるだけ妨げるように住宅はつくられ、配置されてきたのである。

政治的生活とは多数者の中で多数者と共に自らの行うべきことを自ら決定する活動である。その自ら決定する活動の力をアレントは「権力(power)」(『人間の条件』三二二頁)と呼んだ。「権力が実現されるのは、ただ言葉と行為とが互いに分離せず、……リアリティ〔共感の感覚〕を明らかに(disclose)するために用いられ、行為が関係を侵し破壊するのでなく、関係を樹立し新しいリアリティを創造するために用いられる場合だけである」(同頁)。それは「知を命令=支配と同一視し、活動を服従=執行と同一視した」(同書、三五五頁)というプラトン的分離とは全く異なる活動の様式である。このプラトン的分離は、あらゆる支配の根本である。知を命令と同一視し、建築をつくるというような活動を服従と同一視するという構図があらゆる支配の構図である。すでに見てきたように、それは官僚制的統治のような「無責任な権力意志を単に正当化」(同書、三五四頁)するものでしかない。「知と行為」が互いに分離せず知と執行のプロセスが明白になる(disclose)場合にのみ、リアリティが創造されるのである。

「権力は、人びとが集まり、約束や契約や相互誓約によって互いに拘束しあうばあいに実現するものであった。互恵主義(reciprocity)と相互性(mutuality)にもとづくこのような権力だけが真実の正統的権力であった」(アレント『革命について』二九四頁)。権力とはつまり、「一つの空間を共有しその空間の中で他者と共に自ら行うべきことを自ら決断する」という、その決断することのできる力のことなのである。

建築は活動と言論の舞台である

「権力（power）とは、常に潜在的能力（potential power）であって、実力（force）や体力（strength）のような不変の、測定できる、信頼できる実体ではない」、「権力が発生する上で、欠くことのできない唯一の物質的要因は人びとの共生（living together）である。人びとが非常に密接に生活しているので活動の潜在能力（potential power）が常に存在するところでのみ、権力は人びとと共に存続しうる。したがって、都市国家としてすべての西洋の政治組織の模範になってきた都市の創設は、実際、権力の最も重要な物質的前提条件である」（アレント『人間の条件』三二二、三二三―三二四頁）。都市（ポリス）という人工の物によってつくられた世界という空間がすでに権力の空間なのである。「世界という空間」の中においてはじめて権力が生まれそれが存続するものになることができたのである。「活動の束の間の瞬間が過ぎ去っても人びとを結びつけておくもの（今日『組織』と呼ばれているもの）、そして同時に人びとの共生（living together）によって存続するもの、これが権力である」（同書、三二四頁）。

「権力は公的領域と出現の空間を保持する。そのようなものとして権力は、人間の工作物の活力の源泉でもある」（同書、三二八頁）。人間の工作物（建築）は「権力」によってつくられると同時にその「権力」が活動する舞台なのである。政治的生活の舞台である。その舞台（建築）によって「権力」は持続性を与えられるのである。「人間の工作物〔建築〕は、活動と言論の舞台でもなく、人間事象と関係の網の目の舞台でもなく、活動と言論が生みだす物語の舞台でもないとしたら、究極的な存在

図4　横浜市金沢区釜利谷3丁目周辺（Bing Mapsより）。相互に関連のないそれぞれに孤立したような住宅による「住居専用地域」の景観。これがいかに異常な空間か、私たちはそれをもはや自覚しなくなってしまっている。

理由を失う。人びとによって語られることもなく、人びとの住家でもないならば、世界は、人間の工作物ではなく、孤立した個人がめいめい勝手に対象物を一つ一つつけ加える関連のない諸物の堆積にすぎないであろう。人びとの住家となる人間の工作物がなければ、人間事象は遊牧民の放浪と同じように浮草のような、空虚で無益なものであろう。『伝道の書』〔旧約聖書〕の陰鬱な知恵は語っている。『空《くう》の空、空の空、一切は空である。……日の下には新しいものはない。……前の者のことは覚えられることがない。また、きたるべき後の者のことも、後に起こる者はこれを覚えることがない』」（同頁）。

いま私たちが住んでいるそれぞれに隔離された住宅が集まった住宅地の風景は「孤立した個人がめいめい勝手に対象物を一つ一つつけ加える関連のない諸物の堆積」でしかない（図4）。それは「活動と言論の舞台でもなく、人間事象と関係の網の目の舞台でもなく、活動と言論が生みだす物語の舞台でもない」。

4　住民参加による建築の設計、そして反対派

住民と共に設計せよ

邑楽《おうら》町という群馬県の町庁舎新築工事の設計コンペはそれまでにない画期的なコンペだった。「住民と共に設計せよ」という条件の下のコンペだったのである。それは審査委員長・原広司の強い意志だった。『邑楽町役場庁舎等設計者選定住民参加型設計提案競技』は、住民の方々の意見を吸収しながら、一方において、今日、世界に誇ることができる建築を実現しようとする意図の下に行われます。そのためには、まず、提案は他者の様々な見解を受け入れることができるシステムをもっていなくてはなりません」、「そのシステムが支える建築は、原理的に、時代を代表するにたる優れた作品でなくてはなりません。多くの意見を吸収してはみたが、結果としては、凡庸な建築になるようでは、住民参加型の建築であるとは言えません。従って、システムの誘起する建築の実現は、何らかの新しい美学に支えられていると思われます」(二〇〇一年一二月一日)。コンペの応募要項に原はそのように書いた。住民の意見を取り入れるための何らかのシステムを考案すること。そのシステムによる建築は従来の建築の概念を超えて、全く新しい美学をもった建築でなくてはならない。

〝住民の意見を聞くということは、その意見に従って建築をつくるということである。それは建築家

の美学と矛盾する〞。社会の要請に忠実に従って建築はつくられるべきである、というような考え方と、建築家の卓越した才能、あるいはその固有の思想に基づいて建築はつくられるべきであるという考え方の対立は、ムテジウス以来、建築家たちの果てしない論争でもあった。実際、ワイマール工芸学校（後のバウハウスにつながる）の校長だった建築家のアンリ・ヴァン・ド・ヴェルド（一八六三―一九五七年）はムテジウスの規格化という考え方に激しく反対して建築家個人の美学を守ろうとした。それは社会的要請にただ従属するような建築家であってはならない、という危機感だったのである。その全く同じ構図は現在の建築家たちも共有している。社会的要請に従うことと建築家の美学は相互に対立するという構図である。原広司によるメッセージはそうした構図そのものを根本から変せよというメッセージであった。

レゴのような建築を提案した

私たちは全く新しい構造システムを考案した。それは以下のようなシステムである。六〇㎜の鉄骨角パイプを使って二七〇〇㎜×二七〇〇㎜×七五〇㎜のユニット・フレームをつくる。そのユニット・フレームを組み合わせて建築の構造体をつくるのである。そしてその構造フレームの外側、あるいは内側にパネルや透明ガラスをはめ込む。つまり七五〇㎜の間隔を持った壁（ダブル・スキン）ができあがるわけである（図5、6）。その間隔は設備のための空間として使うことができる。そのユニット・フレームの接合方法も全く新しい方法である。荷物の梱包に使う（それよりも遥かに強度のある）テープ状のステンレス・フラットバーで相互に結びつけるのである（図7）。これは実験によっ

図5　邑楽町役場庁舎1/50模型（著者作成）。

てその強度が確かめられ、構造評定をクリアした。十分な耐震能力があると認められたのである。このユニット・フレームを組み合わせて自由に空間をつくることができるわけである。単に自由に計画できるということだけではなくて、今までにあまり見たことのない美しい空間ができそうだった。同時にその1/20スケールの模型をつくった。磁石を利用して、ユニット・フレームの模型をお互いに着脱可能にしたのである（図8）。つまりレゴのような模型である。この1/20スケールの模型で住民たちと一緒にプランニングを考えようとしたのである。そのような提案をした。その提案が原広司を中心にした審査員たちに評価されて、その提案が実現することになったのである。

私たちは邑楽町の住人四五人と共に設計した。彼らは自らの意志で集まった住人たちである。この町に長い間住んで、地域の特性を知りつくした人たちである。私たちは彼らに対して平面図をつくってそれを説明した。平面図はただちに1/20スケールの模型として立ち上げられる。そしてその場で変更できる。簡単に設計変更ができるのである。実際、私たちは合計して二五回も平面図を書き直した。その都度住民から意見や批評がある。それに合わせて変更することが極めて容易なのである。最初の頃の住民の要望は自分たちの個人的な願望だった。噴水をつくってほしい。広場をつくってほしい。カラオケの部屋がほしい。ありとあらゆる意見が噴出した。様々な意見を聞きながら、基本設計はいっこうに収束する方向に向かわなかったのである。この四七人の建設委員会の人々はそれぞれ他人と違う感覚を持った四五人である。それぞれに庁舎に対する考え方、この邑楽町という地域に関する感じ方は違う。でも何度か建設委員会を開いている内にすこしずつ彼ら自身が変わっていったのである。きっかけは「だれのためにつくっているのか」という女性

図6　邑楽町役場庁舎原寸大モックアップ（著者作成）。

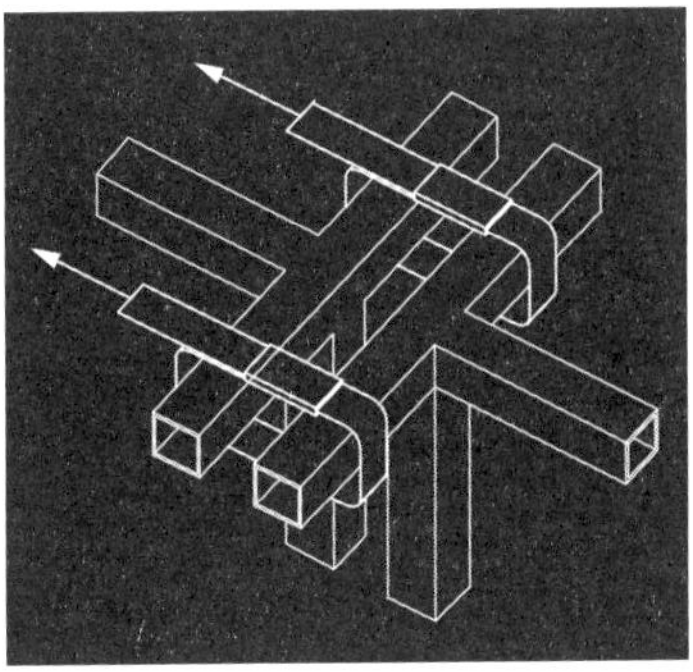

図7　邑楽町役場庁舎ベルト圧着（著者作成）。

図８　邑楽町役場庁舎1/20模型（著者作成）。磁石によって各ユニット・フレームがお互いに着脱される、レゴのような模型である。

の一言だった。Ｉというその女性は「自分たちのことばかりみんな言うけれど、この建築は今この場所にいない子供たちに引き渡す建築だ」という意味のことを言ったのである。この建築は今の私たちのためだけではなくて、未来の遥か先までこの場所に残り続ける建築なのだ。その一言から建設委員会の人たちの意見は明らかに変わっていった。未来の邑楽町はどうなるべきなのか。議場の使い方から多目的ホールの使い方、今までの庁舎建築の使われ方とは全く異なる意見が続出したのである。何の用がなくても立ち寄れる場所にしたい。お茶を飲む場所をつくりたい。カフェをつくりたい。運営は私たちでやりたい。議場は議員だけのための場所ではない。私たち住民も使える場所にしたい。シンボリックな場所に議場をつくる必要はない。議員のための庁舎ではない。それは自分たちのための庁舎を自分たちの責任で作るという、責任感であると同時に、強い意志であった。未来の邑楽町に対する希望のようなものだったと思う。それは「自分たち自身のかぎられた生命よりながく生きるように子孫のために設計された世界をつくる」（アレント『革命について』二九五頁）という希望である。つまり、この新しくつくられる庁舎をリアリティのあるものとして実感するようになっていったのである。リアリティとはこの建築を自分たちが共有する建築として実感するという意味である。それを共有することで、それぞれに異なる感性を持っている人たちであったとしても、それでも、この建築の実現に向かって相互に話をすることが可能になったという意味である。未来の邑楽町について話をし、自らの責任でその未来を決めようとする。その意志が共有されたのである。

私にとってもこの設計のプロセスは建築がだれのためにつくられるのかということを改めて実感したかけがえのない体験だった。設計者としての自らの提案は官僚機構にではなく住民に対する提案である。それが住民の議論の対象になって、その設計が変わる。私自身にとっても四五人の建設委員会の人びとにとってもそれがリアリティのあるものに変わっていったのである。すべての参加者によってそのように認識されるようになっていったのである。建築の設計は個人の卓越の表現なのか、それともただ社会的な要請に従うだけのものなのか、という二者択一的な議論はもはや無意味だった。この建築は一方で私という設計者の「作品」である。設計者の思想に基づいてできている。と同時に、一方で住民たちの希望を未来に伝えるための空間なのである。住民たちの「作品」なのである。四七人の建設委員会の人たちはこの建築に未来を託したのである。

「もむんじゃないよ」

ところが実施設計がすべて終わって、建設会社を決める直前の町長選挙でこのコンペに前向きに関わってきた町長が敗北してしまったのである。それからは大混乱に陥った。混乱の主な原因は議会の一部議員たちとその議員の意を受けた新町長だった。四五人の建設委員会は解散を命じられ、住民参加そのものが解体されてしまったのである。一部の議員たちはこうした住民参加による決定方法を代議員制議会に対する挑戦だと感じたのである。その議員たちの中でも最も強硬な反対派議員が「共産党三期当選、O」と名乗った日本共産党所属の女性議員だった。彼女にとっては政治とは政党制による政治以外は全く考えられなかったのである。決定権は選挙によって選ばれた代議員にある。議会に呼ばれた私たちは、私たちの提案の内容を新市長や議員の前で詳しく説明した。でも、彼らは四五人の町民と共につくったその案の説明を聞こうともしなかったのである。その共産党議員は私に対して「もむんじゃないよ」と言った。「もむ」ということばがどのような意味なのか分からないが、住民を煽動するな、というような意味だったのだと思う。その議員にとって住民の自主的な活動は政党制的政治に対立するものでしかなかったのである。彼らにとっては、設計者は町民によって選ばれた議員や町長の命令に従う者でしかないのである。

その後、この事件は裁判になった。私自身が原告代表になって、このコンペに参加した多くの建築家と共に、町の決定を不服とする訴えを起こしたのである。邑楽町の積極的主導によって住民参加によるコンペを開催し、それに協力してきたにもかかわらず、それを途中で破棄するのは背任行為であるという訴えである。でも、結局、裁判長の調停によって邑楽町側が形式的に謝罪するということで裁判はあっさり終わってしまった。「コンペって営業ではないのですか」。東京地裁のその裁判長は私たちに言った。建築の設計という仕事が全く理解できなかったのである。その裁判長にとって建築の設計は単なる経済活動でしかない。今の社会の中では設計もまた金銭のために働く賃労働の一つにすぎないのである。発注者（行政）の命令に忠実に従うという労働が設計という行為である。単に金銭のために働く労働者である。今の社会においては、設計に限らずあらゆる労働は金銭的利益のための活動である。でも、邑楽町の四五人の建設委員会の人たちは金銭のために活動していたわけではない。彼らはこの建築を未来の住民に引き渡すという意志と共に活動したのである。私たち設計チームの意志も全く同じである。私たちはただ自分たちの金銭的利益のみを目的として設計しているわけではない。それは未来に対して「世界の物」をつくるという意志である。未来に向かう意志である。未来の住人に対して、今私たちが考え、そしてつくった建築を引き渡したいという希望である。

原広司が考えた邑楽町の設計コンペは従来の建築という概念を覆す画期的な出来事だった。もしそのまま完成していたら住民参加という意味が変わったと思う。建築という概念が少しは変わっていたと思う。建築は単に経済的な利益のためではなく、今そこに住む人びとの記憶を未来に伝達するためにある。四五人の建設委員会の人たちの活動はその可能性を非常に良く示していたと思う。そしてその可能性を破壊したのが日本共産党の議員だったというのは極めて象徴的である。その議員にとって、党派制による議会という政治的決定システムとその地域の人びとの合議による決定システムとは、相互に矛盾するものだったのである。この共産党の議員だけではなく、党派の一員、あるいは私的な団体（フーコーの言う「一社会」、アレントの言う“societas”）のための利益誘導を目的として選ばれた議員たちは、自分たちが誰を代表してそこにいるのか、それが全く分からなくなってしまっているのである。地域社会の人びとを代表しているという意識はない。単に所属する政党の一員、あるいは利益団体の一員でしかないのである。

建築は個々の人びとの寿命を超えてその場所に永続するものである。その永続するものをどのように設計したらいいのか、邑楽町の建設委員会は明らかに「自分たちのするべきことを自分たちの責任において決定する」という信念をもっていた。つまりこの庁舎設計という限られた範囲において、決定する権限、つまり「権力（power）」を持っていたのである。それは代表制による議会運営よりもはるかに直接的な権力である。住人の権力である。

5　コミュニティという政治空間

「1住宅＝1家族」はコミュニティをつくらない

「社会という空間」は「1住宅＝1家族」という居住システムをその前提としている。「1住宅＝1家族」は賃労働者のための住宅である。それは官僚制的に統治される空間の中にある。住人たちは住宅というプライバシーの中に閉じ込められ、隔離される。それは「他人によって見られ聞かれる」権利を失った空間である。「1住宅＝1家族」による空間は、自ら行うべきことを自ら決定することのできる空間ではない。その住宅は政治的生活から排除され、「親密なるもの」の内に隔離された住宅である。そうした住宅によって構成された「社会という空間」は「集団（グループ）ごとの区分」（フーコー『監獄の誕生』一四八頁）、つまりコミュニティを作ることはない。「集団中心の配置をばらばらにすること」（同頁）が規律・訓練装置の技術なのである。「社会という空間」は「1住宅＝1家族」という密室のような住宅を供給することによって成り立っているのである。その集合のシステムは均一化であり画一化である。そして、相互に隔離された配置計画であった。そうした住宅を前提にしながら、一方で設計者たちはどうしたら「集団ごとの区分（コミュニティ）」（フーコー）をつくれるのかという、極めて矛盾した問題に直面することになったのである。二〇世紀の建築家、計画者たちは、中庭を囲むような住棟の配置計画、行き止まり状の街路（クルドサック）に面した住宅群、集会所の位置の工夫、広場の計画……様々な計画手法（住棟配置パターン）を考案してコミュニティ（集団ごとの区分）をつくろうとしたが、どれもたいした成果を上げなかった。当然である。「1住宅＝1家族」はその住宅の内側のプライバシーについてはよく考えられているとしても、それが集合するときの集合の理論が不在だからである。それぞれの住戸の内側をどのように快適にするか、通風や日照をどのように確保するかという理論はあっても、その住戸をいかに配置するかという理論はない。だから、日照条件にあわせて住棟の隣棟間隔を決めるという程度の配置計画なのである。公営住宅法によって、冬至の時も四時間日照が義務づけられているから、五階建ての住棟だとすると、南に向かって二五メートル程度の隣棟間隔で配置されることになる。公営住宅がおしなべて同じ方向に並んでいるのは、すべての住戸が平等に日照を得るという単純な理由による。それ以外の集合の理論はない。住宅の基本的な理念はプライバシーなのである。そして平等である。建築の設計者にとってコミュニティとは単に住棟配置パターンのバリエーションでしかなかったのである。

「私はやはりコミュニティや地域という言葉に対して、とても抵抗があるんです。地域社会圏というのはまさに地域と空間がくっついたものですが、空間の近接性が共同性をつくるという建築家の信念にはどうしてもついていけない」（山本理顕ほか『地域社会圏主義』一四二頁）という上野千鶴子の発言は単なるパターン計画をコミュニティと呼ぶような建築計画学への批判である。でもその批判を単に〝建築家の信念〟に対する批判に短絡させてしまったら問題の本質を見失う。その根底にあるのは「1住宅＝1家族」という統制された住宅供給システムそのものなのである。〝プライバシー〟を守るという理念なのである。相互に何の関係も持たない隔離施設のような「1住宅＝1家族」が、今、われわれが住んでいる住宅である。その住宅が「社会という空間」をつくっているのである。「1住宅＝1家族」は「集団ごとの区分＝コミュニティ」をつくらない。そのように設計されているのである。誰もが「コミュニティや地域という言葉に抵抗がある」のは当然なのである。私たちがこの「社会という空間」に住む住人だからである。コミュニティを拒絶しているのは実は私たち自身なのである。でも、「社会という空間」の内側にいて、その内側から社会を見ている私たちはその空間がコミュニティを拒絶する空間であることが分からない。コミュニティを拒絶する空間に住んでいるということに気が付かないのである。

コミュニティとは住民の権力のことである

コミュニティ（community）とはただ単に隣り合って住んでいるというような受け身の状態をさすのではない。誰と誰が仲が良いのか悪いのかなどという調査で分かるような問題とは一切関係がない。一つの空間を共有しているという感覚である。そしてそこに参加しようとする主体の意志と関わっているのである。自ら進んでそれを共有しようとする意志を含んでいる。つまりその空間の中で、自らを現存化（actualize）しようとする意志である。現存化（actualization）とは、他者と共にいる空間の中で「自分をはっきりと際立たせる」（アレント『人間の条件』三三四頁）という意味である。〝自分は今ここにいる〟という意志表明である。コミュニティは空間を共有しその中で自分自身を現存化しようとする意志と深く関わっているのである。〝common sense〟とは他者と共に空間を共有しているという感覚であった。それは空間の中に受け身でいるのではなくて、一つの空間を共有しようとする意志、その中で自らを際立たせようとする意志（actualization）と関わっているのである。「〝common sense〟は政治的属性のヒエラルキーの中で非常に高い順位を占めている」（同頁）とアレントが述べるのはそれが現存化（actualization）と深く関わっているからである。他者と共にある空間はそこに住む人たちがそれぞれ自分を際立たせようとする意志、そしてさらにそうした人びとによる意志決定の仕組みに深く関わっているからなのである。つまり、コミュニティとはその同じ空間の中に住む人びとが自ら意志決定することができる力のことである。自らが決めるべきことを自ら決めるという力、つまり「権力」と関わっているのである。このコミュニティを単に住戸の配置計画のような計画学に矮小化し、住人たちをプライバシーの檻の中に閉じ込めて、「受身のままでいなければならない」（同頁）ような状態にしてしまった責任の一端は二〇世紀の建築家たちにある。

コミュニティとはそこに住む人びとの権力と共にある空間のことである。そうした空間をトーマス・ジェファーソン（一七四三―一八二六年）は「ウォード（ward）」と呼んだ。「郡（カウンティ）を区（ウォード）に分割せよ」（アレント『革命について』三九八頁）とジェファーソンは言ったのである。ウォードのモデルはニュー・イングランドのタウンシップだった。「地域共同体（タウンシップ）は、フランスの地区（カントン）と市町村（コミューン）の中間の大きさである。一般に人口は二〇〇〇から三〇〇〇を数える」（トクヴィル『アメリカのデモクラシー』第一巻上、九九頁）というからそのスケールは近代計画学が想定したコミュニティの単位よりも遥かに小さい。例えばクラレンス・A・ペリーの近隣住区論では小学校区をその基本単位にしているから、ほぼ一万人前後である（因みにシャルル・フーリエの考えたコミュニティ単位「ファランステール」のメンバーは一八〇〇人であった）。

「ニュー・イングランドのタウンは、独立と権力という二つの魅力を併せ持っている」（同書、一〇七頁）。それはもっとも小さな行政単位であり、生活の単位である。「ニュー・イングランドの住民がタウンに愛着を感じるのは、それが強力で独立の存在だからである。これに関心をいだくのは、住民がその経営に参加するからである。……住民はタウンに野心と将来をかけ、自治活動の一つ一つに関わり、手近にあるこの限られた領域で社会を治めようとする」（同書、一一一頁）、「なんとさまざまな公職、なんといろいろな役人があることだろう」（同書、一〇九頁）、「タウンはあらゆる種類の公職を任命し、税を定め、税額の割り当て、徴収も住民が行なう。ニュー・イングランドのタウンでは、代表の法理は受け入れられていない。アテナイと同様、全員の利害に関係する事柄は公共の広場で、市民総会において取り扱われる」（同書、六六頁）、「ニュー・イングランドではすでに一六五〇年には、自治体（タウン）が完全かつ決定的に形成されている。住民の利害と感情、義務と権利は一つ一つのタウンを単位にまとめられ、堅く結びついた。タウンの内部には真の政治生活、活発で、完全に民主的共和的な政治生活が支配していた」（同頁）、「タウンは売買行為を行ない、訴訟当事者として原告被告となり、また予算の増額や減額をするが、いかなる行政当局もこれに異議を唱えようとはしない」（同書、一〇五頁）。タウンそれ自体が住人たちの売買行為（商売）を支援し、その当事者になる。その「純地域的利害について州政府に介入の権利を認める者は、ニュー・イングランドの住民の中に一人もいない」（同頁）とトクヴィルが述べるように、「タウンが州に服するのは、私が社会的と呼ぶ利害、すなわち他のタウンと共有する利害が問題になるときだけである」（同頁）。小さな単位ではあるが強い自治権をもっていたのである。「独立と権力を併せ持つ」というのはそのような意味である。当時のアメリカを視察したトクヴィルはこのタウンシップにフランスの党派による代議制とは全く異質な政治を発見したのである。この『アメリカのデモクラシー』の第一巻がフランスで出版されたのは一八三五年である。「革命後のフランスでは当の『デモクラシー』という言葉が、暴徒（モッブ）支配を連想させるものとして悪評を買っていた」（ダムロッシュ『トクヴィルが見たアメリカ』一七頁）というから、こうしたデモクラシーという言葉がフランスの読者にどのように受け止められるかトクヴィルは十分に分かっていた。「本章の一語一語は、わが国を分裂させているさまざまな党派をなんらかの点で傷つけるに違いない。それでも自分の考えを余さず述べよう」（『アメリカのデモクラシー』第一巻下、五一頁）と言うトクヴィルは党派制に対して十分に挑戦的である。代表制による議会政治、その代表を送り込むための党派制という政治システムに対して、ニュー・イングランドのタウンシップはそれとは全く異なるシステムだったのである。

「ウォード」というコミュニティ、「ウォード」という権力

ジェファーソンはこのタウンシップを代表制とは全く異なるもう一つの行政システムとして制度化しようと考えたのである。それが〝ウォード〟である。「革命が終ったのち、革命精神をどのように保持するかという明白な問題を自らに問うていたのは、アメリカ革命の人びとのうちでジェファーソンだけだった」とアレントは言う（『革命について』三八四頁）。革命に参加した彼以外の人びとは「憲法が、彼らの権力と公的幸福のもとになっている源泉を織り込み、しかるべく構成し、新しく創設することに、致命的に失敗したと気づくまでにいたらなかったのである。この国におけるあらゆる政治活動のもともとの源泉であった郡区（ウォード）とタウン・ホール・ミーティングを憲法に織り込むことができず、それらにいわば死刑の宣告を与えたのは、まさに憲法の重み……であった。……結局アメリカ人からそのもっとも誇るべき財産を騙し取ったのは、この彼らの最大の成果、アメリカ憲法そのものであった」（同書、三八五頁）というアレントの指摘はジェファーソンの悔恨とぴったり重なるのである。「ジェファーソンにとって、区制（ウォード・システム）がなければ、共和政はそもそもその基盤から不安定なものであった。……もしジェファーソンの『基本的共和国（elementary republic）』の計画が実行されていたら、それは、フランス革命のときのパリのコミューンのセクションや人民協会にみられる新しい統治形態のかすかな萌芽をはるかに凌駕していただろう」（同書、三九八―三九九頁）とアレントはウォード・システムに最大の評価を与える。アレントは代議制（リプ

レゼンタティブ・ガバメント）という政治システムの致命的な欠陥を、彼女が生きた時代の体験によって痛感していたからである。

「すべての権力は人民に由来するが、彼らがそれを保持するのは選挙の日だけである。選挙がすめば、権力は人民の支配者の所有物となる」（同書、三八一頁）というような権力制度をジェファーソンは「選挙専制主義（elective despotism）」（同書、三八四頁）と言った。それは「自分たちが敵として闘った暴政と同じくらい悪いものであり、あるいはそれ以上に悪いものと考えていた」（同頁）。代議制ではなくタウンシップのような「自由で、耐久力があり、よく管理された共和国の土台として、これ以上に堅固なものを人間の知力は考えることはできない」（同書、四〇〇頁）とジェファーソンは考えていたのである。「区（ウォード）のほうが、代議制の機構よりも人民の声を集めるのにいっそうすぐれた手段を提供する……。……『たった一つの目的のためでもよいから、区に着手すれば』、『やがて、区がその他の目的にも最良の道具であることがわかる』」（同書、四〇六頁）というジェファーソンの指摘は実は今でも極めて重要である。もしウォード・システムを代議制に代わる政治的決定のシステムとして採用する可能性があるとしたら、それは実際に試してみるしかない。そして今すぐにでも試してみることができるとジェファーソンは考えていたのである。

ジェファーソンのウォード・システムについての記述は断片的である。様々な人に向けて書かれた私信として残されているのみである。その断片を見るとそれでもジェファーソンが何を考えていたかおおよそのことは分かる。住人たちは必ず何らかの仕事を持ち、ウォード自体が経済的なコミュニティであった。そしてウォード内の様々な案件の決定に参加する。その案件に特化した評議会がつくられる。いくつもの評議会がつくられるわけである。住人は常に何らかの評議会のメンバーなのである。

ウォードではすべての住民が政府に関わるのである。裁判官、保安官、パトロール、学校、貧困救済、道路のようなインフラ、陪審員の選択等である。……ニューイングランドでタウンシップと呼ばれるこれらのウォードは、政府にとって必要不可欠の原則である。完璧なる自治の執行、その持続性のために考えだされた最善の発明である。(「Samuel Kercheval への手紙　一八一六年七月一二日」の抄訳)

アレントがこのジェファーソンのウォード・システムに注目するのは、それがフランス革命時、あるいはロシア革命、ハンガリーの革命時に現われた評議会制度にあまりにもよく似ていたからである。「コミューン、評議会、レーテ〔ドイツにおける兵士と労働者による評議会〕、ソヴィエト〔労働者・農民・兵士の評議会〕のような人民の機関」(『革命について』四〇九頁)は「人民の自発的機関として生まれ」た(同書、三九九頁)。それが「革命の過程のなかで規則的に出現したということである。そしてこの新しい統治形態はジェファーソンの区制(ウォード・システム)におどろくほど似かよって」(同書、四〇八頁)いたとアレントは言うのである。

マルクスは……、一八七一年のパリ・コミューンのコミューン制度(Kommunalverfassung)は、

「最小の村落のばあいでもその政治形態」になると考えられたから、「労働の経済的解放のための、ついに発見された政治形態」になるかもしれないと理解した。しかしまもなく彼は、この政治形態が、社会主義者や共産党による「プロレタリアート独裁」の観念とははなはだしく矛盾することに気がついた。というのも、共産党の権力独占と暴力独占は民族国家（nation-state）の高度に中央集権化された政府をモデルにしていたからである。そこで彼は、結局、コミューン評議会は革命の一時的機関にすぎないという結論をくだした。（同書、四一〇頁）

「一世代のちにレーニンに見られるのも、これとほとんど同じ態度の変化であった」（同頁）、「ソヴィエト〔評議会〕が党の独裁に反抗し、新しい評議会と政党制は調和できないことが明白になったとき、彼はほとんど即座に評議会を粉砕する決意を固めた。それがボリシェヴィキ党の権力独占に脅威を与えたからである」（同書、四一一頁）。評議会は市民の自主的な組織である。その自主的評議会は革命政府によってことごとく全く同じような形で抹殺されたのである。その評議会が革命党の一党支配に全く矛盾するものだったからである。評議会を抹殺した「彼らの行動は、最初から最後まで党派闘争についての配慮によって決定されていた」（同頁）のである。

6　選挙専制主義に対する評議会という権力

多数党の独裁になった議会は全くの無力である

「選挙専制主義」は暴政につながるとジェファーソンは危惧していた。「いったん（わが人民が）公的問題に熱意を失えば、諸君も私も、議会も州議会も、判事も州知事も、すべてが狼となるだろう」（アレント『革命について』三八四頁）というのである。「人民に投票箱以上の公的空間を与えず、選挙日以外に自分たちの声を公的に表明する機会も与えないでおきながら、同時に、彼らに公的権力の共有をゆるすということがいかに危険なことであるか」（同書、四〇四頁）ということがジェファーソンは分かっていた。議会以外の権力が極端に失われてしまっているところでは、議会の多数派による暴政になるという意味である。議会の権力が多数党の権力そのものになるからである。多数党の独裁になった議会はもはや全くの無力である。それは法律が無力になるということである。空洞化されるという意味である。空洞化された法律による行政が官僚制的統治である。「法律学的に言えば官僚制とは法による支配とは反対の、政令による支配である。……政令はつねに匿名であり、個々のケースについて理由を示すことも正当化も必要としない」（アーレント『全体主義の起原2』一九九頁）、空洞化された法律は政令（内閣の命令）や省令（省庁の命令）を根拠に官僚機構の判断によって運用される。「政令の支配のもとに生きる人間は、彼らを統治しているのがそもそも何なのか、もしくは何ぴとなのかを全く知らない。なぜなら政令はそれ自体つねに理解し難く、それを理解し易くする筈の事情や意図についていては、官僚制はあたかも最高の国家機密であるかのように黙して語らないからである」

（同書、二〇〇頁）とアレントは言う。その「政令の支配のもとに生きる人間」とは、「1住宅＝1家族」の住人たちである。「人民の自由はその私生活の中にある」（サン＝ジュスト）。私生活の中にしか自由がない人々のことである。政治的自由（公的権力）から排除された人びとである。これは今の私たちの状況にあまりにも良く当てはまる。

ジェファーソンが考えたのは「『たんに選挙の日だけでなく、日々自分は統治参加者である』と感じさせるにはどうするかということであった」（アレント『革命について』四〇六頁）。「大きかろうと小さかろうと、とにかくどれか一つの評議会の一員ではないような人はわが国に一人としていないということになれば、シーザーやボナパルトのような者が国民のだれかからその権力をもぎとろうとしても、その前に彼は、自らの魂をして肉体から引き裂かしめることであろう」（同頁）とジェファーソンは言う。アレントだったらさらにヒトラーやスターリンの名前を連ねるだろう。つまり、こうした「選挙専制主義」に対して、それとは別の様々な権力が分散配置されていることが重要だというのである。その分散された権力の一つが評議会である。評議会はウォードという一つの地域社会の中にある。地域という具体的な空間と共にある。「権力が発生する上で、欠くことのできない唯一の物質的要因は人びとの共生（the living together）である」（アレント『人間の条件』三二三頁）。権力は人びとが共に住む場所において生まれるのである。権力とは「自らが決めるべきことを自ら決める意志」を持ちその意志を「執行」する力を持っているという意味である。ウォードはそこに住む住人が権力を持つ空間である。権力はそのウォードの内側にのみある。「限定された権力がその内部で正統的に行使されるところの領域あるいは範囲」（アレント『革命について』三〇一―三〇二頁）を超えることはない。それがウォードの法（ノモス）である。その空間は外観（exterior appearance）を持ち、いつまでもそこにあり続ける耐久性を持った空間である。一人の人間の生命よりも長い間そこに存在して、そこに彼が生きていたという記憶を残す空間である。つまり一つの「世界」である。実際、「ずっと最近になって、歴史家たちは、評議会（タウンシップ）が中世の都市自治体……に、いくぶんよく似ていると指摘している」（同書、四一六頁）とアレントは言う。一つの「世界」であった中世の都市空間は、タウンシップを組織した人びとに影響を与えたというのである。「歴史家たち」とはルイス・マンフォードのことである。「自治という中世的理想は、ヨーロッパでは十分果されなかったが、ここニューイングランドでは十分果された」（『歴史の都市　明日の都市』二九二頁）というのがマンフォードの見解だった。ここでは（新大陸アメリカにおいては）、「いわば植民によって（中世的理想が）更新されたのである」（同頁）。ウォードは「選挙専制主義」の権力に対立する権力である。それは官僚制的権力とはまったく異なる意志を持った権力である。それは「現存する制度のたんなる補足ではなく、むしろ新しい統治形態にかかわるものであった」（アレント『革命について』四〇七頁）。革命の最中に現われた多くの評議会も「選挙専制主義」に対立する権力だった。そしてそれはことごとく選挙専制主義者によって粉砕されてきたのである。

専門家集団は官僚制的権力から独立していなくてはならない

邑楽町の四五人の建設委員会による設計のプロセスは一つの〝評議会〟だったのである。それは「共産党三期当選」を名乗った議員を含む数人の選挙専制主義者によって全く同じように粉砕されてしまったのである。建設委員会はジェファーソンの言う評議会そのものだった。新しい庁舎をつくるということだけに限定された評議会である。それは小さいけれども一つの権力であった。「自らが決めるべきことを自らの責任において決める」ことのできる権力である。「たった一つの目的のためでもよいから、区（ウォード）に着手すれば」、「やがて、区がその他の目的にも最良の道具であることがわかる」（アレント『革命について』四〇六頁）とジェファーソンが言うように、そのたった一つの目的のための評議会である。もしこの建築ができあがっていたとしたら、ジェファーソンが予言したとおりに、それが他の目的にも最良の道具であることが証明できたと思う。これからの行政の新しい試みの一端を見ることができたに違いないと思う。そしてその建築は従来の標準化された建築とは、全く異なる建築になったと思う。

建築はその地域社会のために、地域社会に住む人びとと共につくられる。そして一方でそれはそこに住む人びとだけではなくその他の多くの人びとに対して「誇ることができる建築」でなくてはならない。邑楽町の庁舎建築コンペにおいて原広司が求めた建築である。建築は建築家という専門家によって、その地域の人びとと共につくられる。「世界をつくる物」としていつまでもその場所の記憶、そこに住んでいる人びとの記憶を残すためにつくられる。もし、選挙専制主義者の権力に対して、地域ごとの権力（評議会）をつくる可能性が少しでもあるとしたら、こうした建築をつくるプロセスは極めて重要な働きをするはずなのである。その地域の特性や経済的な基盤や、自然環境の中で、その地域社会の住人たちと共につくる空間は「地域ごとの権力」のために極めて重要な働きをするのである。建築は「活動と言論の舞台であり、人間事象と関係の網の目の舞台であり、活動と言論が生みだす物語の舞台」だからである。建築は官僚制的権力を前提としてつくられるわけではない。その命令に従って、どこにでもある標準的な建築をつくることが設計者の役割ではないのである。その舞台になるような建築をつくるためには、その実現のプロセスそのものを官僚制的権力から「地域ごとの権力」の中に移さなければならない。住民たちによる評議会の権力である。そのプロセスの中で建築の設計者たちは、はじめて自らの思想を問いかけるべき真の相手と出会うことができるのである。

「地域ごとの権力」が実現するためには一方に彼らを実務的に支援する専門家集団が必要である。そして、私たちが邑楽町で果たした役割がそうであったように、その専門家集団もまた官僚制的権力から独立していなくてはならない。ところが、既に述べたように、日本においては、多くの専門家集団は官僚制的権力の端末に位置づけられて、官僚制を補完する勢力になってしまっているのである。「地域ごとの権力」に対立して、むしろ官僚制的権力の側にあるような集団である。そのように配置されてしまっているのである。官僚制的権力に対しては、多くの日本の専門家集団は極めて無力である。国家的な違反や瑕疵に対してそれを批判する勢力にはなっていないのである。

因みに、私たち建築設計の専門家は国土交通省の管轄下にある。「一級建築士」の資格は国土交通大臣から与えられる訳だから、もともと専門家集団としての独立性はほとんどないに等しいのである。多くのヨーロッパ諸国では、建築家の国家資格制度のようなものは特にない。大学の建築学科でディプロマ（卒業設計）の審査をパスして、国ごと、あるいは州ごとに組織されている建築家協会のメンバーになれば自動的に建築家としての活動ができる。建築家協会は国家から独立した専門家集団なのである。専門家集団としての倫理観を持ちそれを建築家自身に対しても、そしてクライアントにも守らせる権力を持っている。彼らは時として官僚制的権力（選挙専制主義）に対する強力なカウンターになっているのである。ところが、建築の専門家だけではなく、日本の多くの専門家集団は官僚機構の端末になってしまっているのである。端末として管轄されているのである。

専門家集団は官僚制的権力（国家権力）から独立していなくてはならない。専門家集団は官僚制的権力の側にあるのではない。「地域ごとの権力」の側にある。

7　「地域社会圏」という考え方

住宅は消費財である。それが国家政策である。

「たった一つの目的のためでもよいから、区（ウォード）に着手すれば」、「やがて、区がその他の目的にも最良の道具であることがわかる」とジェファーソンは言う。でも、それに着手するのは今の日本では極めて困難なのである。「社会という空間」に住んでいる私たち自身がそれを求めないからである。自由は「1住宅＝1家族」という私的空間の中にある。「公的権力に参加しそれを共有することなしには、だれも幸福であり自由であるということはできない」と言えるような空間に住んでいないからである。

「人民の自由はその私生活の中にある」。それが内面化されているのである。「1住宅＝1家族」という相互隔離システムが内面化されてしまっているのである。既に述べたように私たちは「自分の家の四つの壁に取り囲まれ、衣裳箱とベッド、テーブルと椅子、犬や猫や花瓶に囲まれて幸福になれるのである」（アレント『人間の条件』七八頁）。私たちがそれ以上の自由（住み方）を求めないからである。それは「1住宅＝1家族」という住宅に住む人びとが政治参加（公的権力への参加）から排除されているという以上に、その排除されていることに無自覚になっている、ということである。私たちは私たちの日常の生活は政治参加とは全く無縁だと思っている。「1住宅＝1家族」に住む私たちは、「日々自分は統治参加者である」（アレント『革命について』四〇六頁）とは全く思っていない。

この無自覚は私たちが、隣に住む人たちとは全く無関係に住むことができるような住宅に住んでいることと深く関わっている。「四つの壁に取り囲まれた」生活は隣人とは無縁である。「1住宅＝1家族」は「他人によって見られ聞かれることから生じるリアリティ〔共感の感覚〕を奪」（アレント『人間の条件』八七頁）うように設計されているのである。既に述べたように、リアリティが奪われるということは、政治に参加しようとする意志が奪われているという意味であった。

その政治に参加する意志が奪われた空間は、「経済的に組織」（同書、五〇頁）された社会の中の商品でしかない。市場社会の中の単なるパッケージ商品なのである。住宅はその住人のためにあるのではなく、国家的な規模の経済的利益のためにある。今、住宅は私的に購入する商品である。それが国家政策なのである。既に消費材以上のものではなくなっているのである。住宅は素早いスピードで消費される。その消費のスピードが国家的な経済に貢献するからである。そうした状況は日本では二〇〇〇年前後を境にして急加速しているのである。

経済行為と一体になった居住形態

一九九五年の住宅宅地審議会の答申は「『住宅サービスは私的に消費されるものである。……第一義的に個人の選択に委ねるべきものである』と述べ、……住宅政策の役割は『住宅市場全体を対象として捉え、その市場機能が十分に発揮されるようにすること』である」と述べる。「二〇〇〇年の答申は『住宅宅地の取得、利用は国民の自助努力で行われるべきという原則』を確認し、住宅を市場に委ねる方針をいっそう明快に打ち出した」（平山洋介『不完全都市』四七頁）。国家は国民の住宅の取得に関しては一切関与しないと断言したのである。住宅宅地審議会とは国土交通省の諮問機関である。日本の住宅政策の原則を決める国家機関であり、関係行政機関に建議する権限を持っている。その審議会が住宅政策とは市場活性化のためであると答申したのである。住宅の取得は国民の自助努力だというのである。住宅は自助努力によって私的に所有されなくてはならない。住宅政策が正に経済政策になったのである。その後の「資産流動化法（不動産の証券化による建設資金の調達）」（二〇〇〇年）、「住生活基本法（住宅関連業者の住宅供給への参加の仕組み）」（二〇〇六年）などの法整備によって、民間ディベロッパー、住宅メーカーが販売しやすい環境が整えられていったのである。購買能力のない生活者はますます生活弱者になっていく環境である。住人は単なる消費者である。この生活環境は住人の政治参加とは全く無縁な環境である。

「1住宅＝1家族」による住宅供給システムは、国家的な経済に貢献するように管理運営されている。ところが、「1住宅＝1家族」が、今、その内側から崩壊しようとしているのである。それが一方の現実である。内側からと言っても、「1住宅＝1家族」に住む住人自らの意志によるわけではない。

実際「1住宅＝1家族」という居住システムは現実的には、既に破綻しているのである。今、東京二三区に住む人たちの一世帯に占める人数はわずか一・九七人（「住民基本台帳による東京都の世帯と人口」平成二六年一月、東京都ホームページ）である。住宅が「循環する生命過程」を持続させるための役割を既に担うことができなくなっているのである。それに代わる、新たな居住システムは考案されていない。それを考案することは現実的な緊急課題である。建築家はどのような空間を構想し、提案することができるのか、それが本章の冒頭に述べた横浜国大の大学院の設計課題である。それは従来の「1住宅＝1家族」に代わる住み方の提案であり、「自らが決めるべきことを自ら決める意志」を持った人びとが住む空間の提案である。居住専用地区に居住専用住宅をつくるという従来の考え方は全く役にたたない。それは単に私生活の場所、「循環する生命過程」の場所、プライバシーのための場所でしかないからである。「地域社会圏」は「公的権力に参加」する空間でなくてはならない。

それは〝ウォード〟のような空間である。そしてそのためにはその空間が多様な活動を許容する空間でなくてはならない。二〇世紀の建築家や計画者たちが発明した居住専用地区という空間それ自体が異常な空間だったのである。それはそこに住むすべての人たちを「私的生活」に閉じ込めるような空間だった。それは、ただプライバシーを守るという、単一の目的を持った空間である。政治的生活を奪われた空間である。多様性は全くない。多様性という意味は居住専用ではなく、多様な活動の舞台でなくてはならないという意味である。「地域社会圏」は政治的生活の舞台でなくてはならない。自らが行うべきことを自ら決めることのできる空間である。そのためには消費だけではなく生産しそれを交換する経済活動がそこで行われなくてはならない。そのような場所が準備される必要がある。ウォードのように、その場所で生産をし、売買行為を行うことができるような場所である。もともと都市に居住するということは経済行為を行うためだったのである。中世ヨーロッパの都市自治体がそうである。日本の近世都市もそうであった。経済行為と住空間は一体化されていたのである。その経済行為と一体になった居住形態が都市居住の原型なのである。中世都市のbottega（boutique）は店舗である。日本の近世都市の町屋は「見世、店」を持った家である（図9）。その「見世」を持った家が連なって都市を構成していたのである。それぞれに個別の家がなぜ相互に関係することができたのか。なぜ一定の都市環境を構成することができたのか。その「見世」が「公的領域」に属する空間だからである。それは都市の側に属する空間だったからである。つまり「閾」である。bottega（boutique）は「閾」であった。町屋の「見世」もまた全く同じ「閾」である。その奥の私生活の場所とは厳密に分けられていたのである（図10）。単なる私生活の場所でしかない居住専用住宅とは、全く異なる空間構成であった。それは、ポリスの家（オイコス）、集落の中の家と全く同じ構成である。「見世」において経済行為を行うことが都市（地域社会）と関わることだったのである。「閾」による活動に関わらない限り都市のコミュニティ（政治的権力）に参加することができなかったのである。建築それ自体が都市と関わることのできる空間的構造を持っていた。つまり、都市自治体（コミュニティ）に参加することが可能であるように建築そのものが設計されていたのである。第二次世界大戦後、公営住宅の供給とは全く別に、自然発生的に日本の各地にできた闇市という職住一体の形式は、住む場所が同時に経済行為のための場所だった。これがむしろ都市居住の原型なのである。

図９　江戸時代の神田の町屋（出典：大岡敏昭『江戸時代日本の家』189頁）。都市は店舗によって構成されていたのである。

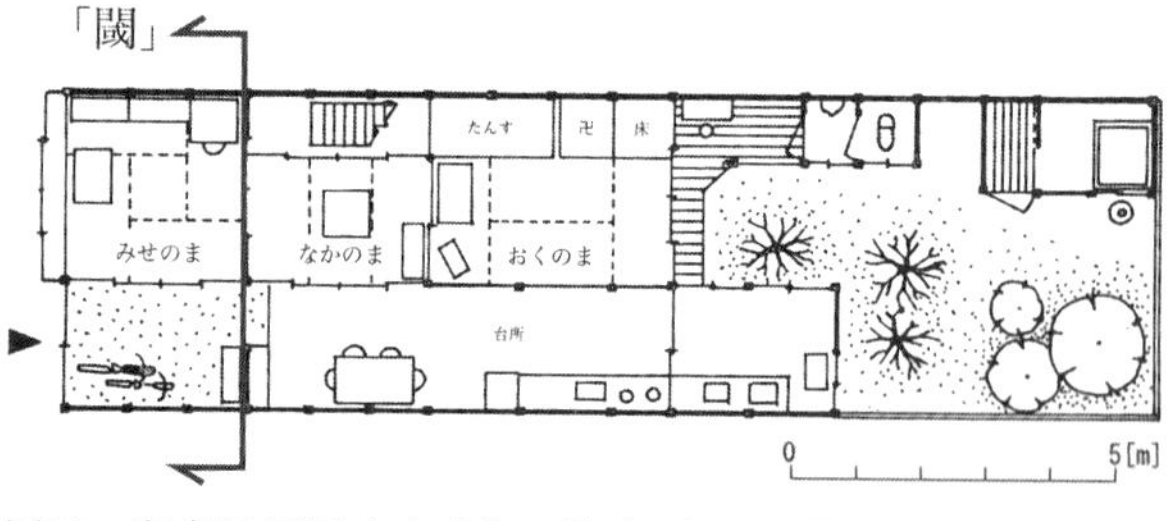

図10　奈良県橿原市今井町の町家平面図（出典：『都市住宅』1972年11月号、70頁）。

そうした経済行為と一体になったような住宅は、わずかに「商店街」として残されているだけで（図11、12）、その多くは失われてしまった。居住以外の何の目的も持たない賃労働者のための住宅は、それが相互に関わり合って都市を構成することはない。ただそれぞれに孤立してそこにあるだけである。その居住専用住宅が私たちの住宅の標準になってしまっているのである。その孤立して隣の住宅と相互に関わることのない住宅がいかに特異な住宅か、私たちはもはやそれを考えてみようともしないのである。

その居住専用住宅で経済行為を行うことは法律的にも大きな制約を受けている。たとえばマンションの各住戸ではそれができない。法律以前にそこに住む住人たちがそれを許さない。マンションは徹底して私生活の場所として商品化され、それを前提として人びとが住んでいるからである。住戸がそのように設計されている。マンションはプライバシーとセキュリティがその商品価値なのである。私たちは、経済行為を許すような居住形態を今までほとんど考えてこなかったのである。二〇世紀の建築家たちはそうした空間を提案してこなかった。住宅は私的空間だと徹底して思い込んでいたのであ

図11　もともとは戦後の闇市だった六角橋中通り商店街（著者撮影）。１階が店舗、２階が居室。都市における住宅の原型である。都市コミュニティの原型である。

図12　19世紀につくられたパリ２区の“passage”。１階が店舗、２階が居室だった。六角橋中通り商店街と全く同じ構成である（出典：http://hello-japan.over-blog.com/articlegyoza-bar-paris-114052973.html）。

る。今でも私たちはそう考えている。

「地域社会圏」とはどのような空間か

「地域社会圏」は経済行為と共にある居住形態を計画せよという設計課題である。それぞれの住人の私的空間ではなく、多様な活動を許容する空間である。「1住宅=1家族」システムが「私生活の自由」のためにのみあるのだとしたら、一方の「地域社会圏」システムは「自らが決めるべきことを自ら決める意志」を持った人びとが住む空間である。「公的権力に参加する自由」(ジェファーソン)のための空間である。コミュニティと呼ぶことのできる住み方である。「地域社会圏」はコミュニティが〝物化(materialize)〟された空間なのである。〝物化〟されることによってはじめてコミュニティとは何か、それが一つの思想として共有されるのである。

「地域社会圏」が地域ごとの権力であるためには、それが経済行為のための場所であることが決定的に重要である。コミュニケーションを媒介とした経済行為はかつてのコミューン(都市自治体)においても「地域ごとの権力」を生んだ最大の要因だったのである。その経済行為が地域に固有のブランド力をつくり、外から訪れる人びとを迎え入れる豊かな空間をつくったのである。「これが私たちの住む街である」という、来街者に対する強いメッセージを空間それ自体が持っていたのである。つまり〝外面の現われ(exterior appearance)〟を持っていた。それがその空間を共有するという感覚(common sense)を育て、その空間において自らを現存化(actualize)しようとする住人たちを育てたのである。

「地域社会圏」はそのような空間である。それ自体が一つの経済圏である。そしてそのためには個々の住宅のつくられ方が決定的に重要である。「1住宅＝1家族」に代わるどのような住み方を設計するのか。

その「地域社会圏」の試案をつくった。横浜国大の私のスタジオの大学院生、設計助手、そして実際の都市に関わっている、横浜市建築局、東京ガス、清水建設、三菱地所、日産自動車等、行政や企業に属する技術者の人たちと一緒に、インフラを含めてどれだけエネルギー効率、あるいは相互扶助、経済的な効率、経済的効果が可能か試算してみようという実験である。そのためにはどのような住み方を設計するか、どのようなインフラを設計するのか、どのような生活支援施設を設計するのか。その建築空間の設計がなによりも重要である。

従来までの住宅の供給システムとは全くことなる新たな供給システムの提案である。

その提案は『地域社会圏主義』という本にまとめられているが、要点だけを示せばそれは以下のようなものである（図13）。

(1)「閾」を持つ住宅

住宅は単に私生活（プライバシー）のための場所ではない。住宅は「地域ごとの権力（コミュニティ）」に参加できるような空間構造を持っていなくてはならない。「閾」である。「見世」のような場所である。ここでは「閾」は経済活動のための場所である。公的空間である。コミュニティに参加するための場所である。住宅という「私的空間」の中に「見世」という「公的空間」がある。そのよう

図13　立体的な商店街のような「地域社会圏」（イラスト：鴨井猛、出典：山本理顕ほか『地域社会圏主義』増補改訂版、22-23頁）。

な空間として設計される。「見世」の集合によって構成される「地域社会圏」は小さな経済圏である。

(2)インフラと共に設計する。

「1住宅＝1家族」システムにおいては、交通やエネルギーのようなインフラ事業は国家（官僚機構）の専管事項である。インフラは国家事業、住宅は私的消費材という分割統治が日本の住宅政策なのである。インフラ事業は、官僚機構の裁量による事業である。すべての公共空間は都市のインフラとしてつくられる。「公共の空間は通り抜けるためのスペースであって、そこに居るところではない」（セネット『公共性の喪失』三〇頁）。全ての公共施設は都市インフラの端末でしかないからである。そのインフラを管轄する官僚機構の裁量は公益と呼ばれる。「1住宅＝1家族」に住む住人の意見が尊重されることは決してない。それは「私生活」のための私益とみなされるのである。「地域社会圏」はそうした構図を変更する。インフラは国家事業として外側からあたえられるものではない。「地域社会圏」は自前のインフラと共に設計される。

(3)「地域社会圏」内の情報の共有、秘密の保護、意志決定の仕組みの共有。

「地域社会圏」の意志決定権は「選挙専制主義」に対する「地域ごとの権力」である。

(4)生活保障システム

国家予算一般会計と特別会計合計の半分が社会保障関係費である。それは「1住宅＝1家族」を前提にした国家的社会保障システムが既に破綻していることを意味している。「地域社会圏」内の住人相互による生活保障システムの構築は同時に介護、環境保全、家事、育児などの仕事の創出である。

(5)専門家集団

意志決定は様々な専門家集団と「地域社会圏」の住人（評議会）との協働（co-operation）による。エネルギー、環境保全、医療、介護、育児、法律、教育。住人は様々な役職につく。「地域社会圏」は「評議会」である。国家と個人の〈あいだ〉にある中間集団である。国家権力から独立した「専門家集団」もまた中間集団なのである。

(6)建築空間として魅力を持っていなくてはならない。

「私たちはここにいる」、「私たちはここに帰属している」という意志を表す〝現われ（appearance）〟を持っていなくてはならない。後に来る者がその空間の一部を変更しても、その〝現われ〟は変わらない。フレキシブルでありながら全体の空間的魅力は保持される。そのような建築的システムをもっていなくてはならない。

「地域社会圏」は空間的な提案である。その地域に固有の空間の提案である。「地域ごとの権力」を保持するための空間である。でも、こうした従来までの標準から逸脱した空間的提案はユートピアのようにしか受け止められない。私たちは、今現にある空間の内にあってそこに過不足なく収まっていると思っているからである。空間は社会の要請に忠実に従ってここにある。特別な目的の下に設計されてここにあるとは思ってもいないからである。それは、私たちが今いる空間にいかに閉じ込められているか、いかに今の空間に拘束されているか、ということを逆に良く示しているように思う。社会という空間の内側に住んでいる私たちは、その内側から社会を見るという視点しか持つことができないのである。そこで体験している空間は標準化された空間である。それは官僚制的権力の「合理性」(フーコー『知への意志』一二二頁)を維持するために標準化されているのである。その標準化された空間を批判的に眺めることは極めて難しい。どこにでもある標準的な空間はその空間を意識的に眺めることができないからである。標準的空間は空間を無意識化させるのである。その空間の無意識化は、官僚制的権力に対する無意識化なのである。既に述べた通りである。

「福祉の現場を見ていると、ありものを使った民家活用にも場所を上手につくっているものが多くて、建物なんか関係ないという気分になります」(上野千鶴子、『新建築』二〇一三年一二月号、二一一頁)。「建物なんか」今の社会の中では必要に応じて「場所を上手につくる」、それ以上のものではないという発言である。それは多くの人の考え方でもあるようにも思う。多くの人たちがそのように感じているのだと思う。なぜなら、福祉施設だけではなく、すべての公共空間が一つの施設として官僚機構の管轄ごとに、施設化されてしまっているからである。パッケージ化されてしまっているからである。官僚制のセクショナリズムに応じて空間はカテゴライズされている。福祉施設、医療施設、教育施設、居住施設、文化施設、スポーツ施設等である。それぞれの施設は官僚制のセクショナリズムに基づいて一つのパッケージのように設計され管理されるのである。そのパッケージ化された空間が「施設」と呼ばれるのである。それは正に官僚制という制度の〝物化〟である。パッケージとして〝物化〟されることで、官僚制という権力が「合理性」を持つかのように認識され、それが共有されるのである。その権力は相互に横の繋がりを持たない。官僚主義においては「官職や職務を与えられている人々の横の繋がりが阻止され」（アーレント『全体主義の起原3』一七二頁）ているからである。それがセクショナリズムである。それぞれの施設はその官僚制のセクションごとに、それぞれに標準化されパッケージ化され個別統治されるのである。〝ありものを使った民家〟であろうと、新築の施設であろうと、日本中、すべて平等に同じサービスが受けられるように標準化され施設化されているのである。そこでは設計者の役割は「場所を上手につくる」程度の役割でしかない。パッケージとして〝物化〟することが設計者の役割である。設計者の役割は官僚機構の命令に従ってそれを〝物化〟する役割でしかないのである。

でも、本来、公共建築は標準としてではなく、その地域社会の特性と共に設計されなくてはならないはずなのである。官僚制度に基づいた管理施設ではなく、その地域に固有の建築である。「建物なんか関係ない」というそのような見方が、逆に地域ごとの特性がいかに失われてしまっているかをよく示しているのである。「地域ごとの権力」がいかに失われてしまっているか、それをよく示しているように思うのである。標準的空間を超えてその地域に固有の空間を設計するためには、官僚制的権力によるのではなく、「地域ごとの権力」によるしかないのである。空間的な提案は共同体の思想の〝物化〟でなくてはならない。「地域ごとの権力」の〝物化〟である。思想が〝物化〟されることによって初めてその思想を共有することができるのである。

生に輝きを与えるのは空間への意志である

「近代の共同体をすべて労働者と賃仕事人の社会に変えたという事実」(アレント『人間の条件』七一頁)は共同体に対するあらゆる希望を破壊してきたという事実である。それはそれぞれの共同体に固有の空間を破壊してきたという事実である。そしてそれは「地域ごとの権力」を破壊してきたという事実なのである。共同体を否定した二〇世紀の歴史は、同時に具体的な空間を否定してきた歴史であった。社会は経済的利益のために組織されている。空間はその社会に貢献するための単なる手段でしかない。建築の設計とはただ社会の要請(命令)に従ってそれを執行する役割でしかなくなってしまったのである。すべての空間が具体的空間としてではなくて、社会的な要請にただ貢献するかどうか、役に立つかどうか、つまり単なる機能として判断されるようになったのである。単なる機能としてのみある空間は、誰に対してもできるだけ負荷を与えないようにつくられる。それを使う人々に対してどのような感情も引き起こさせない空間である。

官僚制的につくられる施設は機能としてのみある。機能としてしか意識されない空間は、空間の具体性が失われた空間である。その空間は美しいか、どのような人々が参加してこの建築をつくったのか、誰が設計したのか、これをつくった人々の思想はどこにあるのか。この空間は未来の住人にどのように受け継がれるのか。そんなことは誰も意識しない。

具体性を失った空間は、私たちがそこに生きていたという記憶を後に来る者に伝えない。「前の者のことは覚えられることがない、また、きたるべき後の者のことも、後に起こる者はこれを覚えることがない」（同書、三二八頁）。そのような空間である。

選挙専制主義とは官僚制的権力のことであった。それは空間による統治である。空間の無意識化による統治である。「地域ごとの権力」は官僚制的統治に対する反権力の可能性なのである。その可能性のためにはジェファーソンの言うように「たった一つの目的のためにでもよいから、それに着手することである」。今、私たちの住んでいる空間を施設としてではなく、私たちの地域に固有の空間につくりかえることである。今自分たちが住んでいる「1住宅＝1家族」という私的空間を地域に対して開くにはどのような工夫が必要なのか。「1住宅＝1家族」を「閾」のある住宅に変えるためにはどうしたら良いのか。ただ官僚機構の都合でつくられる公共施設、あるいは経済的利益のためにのみつくられる民間建築の設計のプロセスに地域住民が参加するにはどうしたら良いのか。未来の住人に引き渡すことができるような空間をどのように設計したらいいのか。

具体的な空間の問題である。「地域ごとの権力」は具体的な空間の提案によってはじめてそのリアリティを獲得するのである。

官僚制的権力は空間の統治である。空間の無意識化である。もしそうだとすればその官僚制的権力

に対して「地域ごとの権力」は地域に固有の空間を発見することである。そしてそれを設計すること
なのである。地域の固有性という思想はそれが〝物化〟されることによってはじめてそこに住む人び
とによって共有される思想になるのである。

この世に生まれないことが
すべてにましてよいことだ、
生まれてきたからには次善のことは
生まれたもとのところにすみやかに戻ることだ。

悲劇詩人ソポクレス（前四九六頃—四〇六年頃）による『コロヌスのオイディプス』の劇中で歌われた詩である（アレント『革命について』四四三頁）。ここに歌われているのはわれわれ自身である。「循環する生命過程」の中で生まれ、そしてたった一人で死んでいくわれわれである。私が生きていたという記憶は誰にも覚えられることがない。次々に新しい生命が誕生しそして死んでいくその循環の中の一つの生であるに過ぎないのである。「『労苦と困難』によって自分の勤めを果たした者は、将来、子孫を残すことによって自分も自然の一部に留まることができる」（アレント『人間の条件』一六三頁）。「循環する生命過程」の中の生として、生まれたところにすみやかにもどることができる。そのような生である。

アレントはそれを「生の重荷」（『革命について』四四四頁）と言った。その「生の重荷」に耐えるこ

とができるのはなぜか。どのように耐えてきたのか。「それは人びとの自由な行為と生きている言葉の空間、ポリスであった」（同頁）。ポリスとはそこに生きる人たちを永遠に記憶する空間である。その空間に対する信頼が個々の人たちの「生に輝きを与えることができたのであった」（同頁）。「おまえの生は輝かしい生であった」という賞賛がいつまでも記憶される空間である。それが「世界という空間」である。

「世界」は過去にあって既に失われた空間ではない。「世界」は今生きている私たち自身の意志によって未来の住人のために設計されなくてはならない空間なのである。これからやってくる住人のための空間である。空間は未来の住人に引き渡す権力なのである。

文献一覧

外国語文献

Arendt, Hannah, *The Human Condition*, 2nd ed., University of Chicago Press, 1998.

Buddensieg, Tilmann, *Industriekultur: Peter Behrens und die AEG, 1907-1914*, Mann, 1993.

Riley, Terence and Barry Bergdoll, *Mies in Berlin*, Museum of Modern Art, 2002.

Roberts, Henry, *The Dwellings of the Labouring Classes*, London, 1850.

« Le familistère de Guise: une utopie réalisée », L'agora des arts (http://www.familistere.com).

邦訳文献

アリストテレス『政治学』山本光雄訳、岩波文庫、一九六一年。

アレント（アーレント）、ハナ（ハンナ）『アウグスティヌスの愛の概念』千葉眞訳、みすず書房、二〇〇二年。

――『イェルサレムのアイヒマン――悪の陳腐さについての報告』大久保和郎訳、みすず書房、一九六九年。

――『革命について』志水速雄訳、ちくま学芸文庫、一九九五年。

――『過去と未来の間――政治思想への8試論』引田隆也・齋藤純一訳、みすず書房、一九九四年。

――『暗い時代の人々』阿部齊訳、ちくま学芸文庫、二〇〇五年。

――『精神の生活』（全二冊）、佐藤和夫訳、岩波書店、一九九四年。

――『全体主義の起原2――帝国主義』大島通義・大島かおり訳、みすず書房、一九七二年。

――『全体主義の起原3――全体主義』大久保和郎・大島かおり訳、みすず書房、一九七四年。

――『人間の条件』志水速雄訳、ちくま学芸文庫、一九九四年。

――「フランツ・カフカ再評価――没後二〇周年に」、『アーレント政治思想集成1』齋藤純一・山田正行・矢野久美子訳、みすず書房、二〇〇二年。

エンゲルス、フリードリヒ『イギリスにおける労働者階級の状態――19世紀のロンドンとマンチェスター』（全二冊）、一條和生・杉山忠平訳、岩波文庫、一九九〇年。

――『空想より科学へ――社会主義の発展』大内兵衛訳、岩波文庫、一九六六年。

――『住宅問題』大内兵衛訳、岩波文庫、一九四九年。

ギース、ジョゼフ&フランシス・ギース『中世ヨーロッパの都市の生活』青島淑子訳、講談社学術文庫、二〇〇六年。

コストフ、スピロ『建築全史――背景と意味』鈴木博之監訳、住まいの図書館出版局、一九九〇年。

シュワルツ、フレデリック・J「ヘルマン・ムテジウスと初期ドイツ工作連盟」今西喜美訳、池田祐子監修・編集『クッションから都市計画まで』所収。

スタイン、ローリー・A「第一次世界大戦中のドイツ工作連盟の国際戦略について」今西喜美訳、池田祐子監修・編集『クッションから都市計画まで』所収。

セネット、リチャード『公共性の喪失』北山克彦・高階悟訳、晶文社、一九九一年。

ダムロッシュ、レオ『トクヴィルが見たアメリカ――現代デモクラシーの誕生』永井大輔・高山裕二訳、白水社、二〇一二年。

トゥールミン、スティーヴン・E&アラン・S・ジャニク『ウィトゲンシュタインのウィーン』藤村龍雄訳、平凡社ライブラリー、二〇〇一年。

トクヴィル、アレクシス・ド『アメリカのデモクラシー』第一巻（全二冊）、松本礼二訳、岩波文庫、二〇〇五年。

——『フランス二月革命の日々——トクヴィル回想録』喜安朗訳、岩波文庫、一九八八年。

フーコー、ミシェル『監獄の誕生——監視と処罰』田村俶訳、新潮社、一九七七年。

——『知への意志』（『性の歴史』Ⅰ）、渡辺守章訳、新潮社、一九八六年。

フーリエ、シャルル「産業的協同社会的新世界」田中正人訳、五島茂・坂本慶一責任編集『オウエン　サン・シモン　フーリエ』所収。

ペヴスナー、ニコラス『モダン・デザインの展開——モリスからグロピウスまで』白石博三訳、みすず書房、一九五七年。

ベネヴォロ（ベネーヴォロ）、レオナルド『近代建築の歴史』武藤章訳、鹿島出版会、二〇〇四年。

——『近代都市計画の起源』横山正訳、鹿島出版会、一九七六年。

——『図説　都市の世界史1——古代』佐野敬彦・林寛治訳、相模書房、一九八三年。

ベンヤミン、ヴァルター『パサージュ論』第四巻、今村仁司ほか訳、岩波現代文庫、二〇〇三年。

——「複製技術の時代における芸術作品」高木久雄・高原宏平訳、『ヴァルター・ベンヤミン著作集』第二巻、晶文社、一九七〇年。

マルクス、カール『資本論』第一巻上、今村仁司・三島憲一・鈴木直訳、『マルクス・コレクション』第四巻、筑摩書房、二〇〇五年。

——『賃労働と資本』長谷部文雄訳、岩波文庫、一九八一年。

マルクス、カール＆フリードリヒ・エンゲルス『共産党宣言』大内兵衛・向坂逸郎訳、岩波文庫、二〇〇七年。

――『新訳ドイツ・イデオロギー』新訳刊行委員会訳、新訳刊行委員会、二〇〇〇年。

マンフォード、ルイス『歴史の都市 明日の都市』生田勉訳、新潮社、一九六九年。

ラゴン、ミシェル『巨大なる過ち――現代の廃墟＝都市』吉阪隆正訳、紀伊國屋書店、一九七二年。

ラスキン、ジョン『ゴシックの本質』川端康雄訳、みすず書房、二〇一一年。

ロート、フェドール「ヘルマン・ムテジウス、調和的文化、近代的様式、ザッハリヒカイト」秋庭史典訳、池田祐子監修・編集『クッションから都市計画まで』所収。

日本語文献

池田祐子監修・編集『クッションから都市計画まで　ヘルマン・ムテジウスとドイツ工作連盟――ドイツ近代デザインの諸相』京都国立近代美術館、二〇〇二年。

伊藤貞夫『古代ギリシアの歴史――ポリスの興隆と衰退』講談社学術文庫、二〇〇四年。

遠藤於菟『日本住宅百図』大倉書店、一九二〇年。

大岡敏昭『江戸時代日本の家――人々はどのような家に住んでいたか』相模書房、二〇一一年。

小川圭子「一八六七年労働者住宅モデルの修正――建築家ヘンリー・ロバーツに関する研究その2」、『東京家政学院大学紀要』第五一号、二〇一一年。

片木篤『イギリスの郊外住宅――中流階級のユートピア』住まいの図書館出版局、一九八七年。

柄谷行人『世界史の構造』岩波書店、二〇一〇年。

北村昌史『ドイツ住宅改革運動――19世紀の都市化と市民社会』京都大学学術出版会、二〇〇七年。

小玉徹・大場茂明・檜谷美恵子・平山洋介『欧米の住宅政策――イギリス・ドイツ・フランス・アメリカ』ミ

ネルヴァ書房、一九九九年。

五島茂・坂本慶一責任編集『オウエン　サン・シモン　フーリエ』(「世界の名著」42)、中央公論社、一九八〇年。

小林文次ほか『西洋建築史』(建築学大系編集委員会編『建築学大系』第五巻)、彰国社、一九六八年。

桜井万里子『古代ギリシアの女たち――アテナイの現実と夢』中公文庫、二〇一〇年。

鈴木成文『住まいにおける計画と文化――鈴木成文教授東京大学最終講義』東京大学工学部建築学科高橋研究室、一九八八年。

鈴木博之『ジェントルマンの文化――建築から見た英国』日本経済新聞社、一九八二年。

関曠野『民族とは何か』講談社現代新書、二〇〇一年。

角山榮『産業革命と民衆』(『生活の世界歴史』第一〇巻)、河出書房新社、一九七五年。

土居義岳「近年のフランスにおける住宅史研究の動向」、『建築史学』第二三号、一九九四年九月。

東京大学生産技術研究所原研究室編『住居集合論Ⅰ』(復刻版)、鹿島出版会、二〇〇六年。

――『住居集合論Ⅱ』(復刻版)、鹿島出版会、二〇〇六年。

中野隆生『プラーグ街の住民たち――フランス近代の住宅・民衆・国家』山川出版社、一九九九年。

西川祐子『近代国家と家族モデル』吉川弘文館、二〇〇〇年。

西山夘三『これからのすまい――住様式の話』相模書房、一九四七年。

日本建築学会編『建築設計資料集成　居住』全面改訂版、丸善株式会社、二〇〇一年。

原武史・山本理顕「原・山本対談　団地がつくった新しい日本人の生活」、『kotoba』第一〇号、二〇一二年一二月。

原広司「均質空間論」(一九七五年)、『空間――機能から様相へ』岩波現代文庫、二〇〇七年。

平山洋介『不完全都市――神戸・ニューヨーク・ベルリン』学芸出版社、二〇〇三年。

藤井明『集落が育てる設計図――アフリカ・インドネシアの住まい』LIXIL出版、二〇一二年。

的場昭弘・内田弘・石塚正英・柴田隆行編『新マルクス学事典』弘文堂、二〇〇〇年。

柳内隆『フーコーの思想』ナカニシヤ出版、二〇〇一年。

山口広『解説 近代建築史年表――一七五〇―一九五九』建築ジャーナリズム研究所、一九六八年。

山本理顕『新編 住居論』平凡社ライブラリー、二〇〇四年。

山本理顕ほか『地域社会圏主義』LIXIL出版、二〇一二年、増補改訂版二〇一三年。

あとがき

建築が一つの作品として建築家によってつくられる、建築家の作品であることに対して多くの人たちは抵抗感を持っているのではないかと思う。公共建築が一人の建築家の作品であるとは、正に建築家による公共財産の私物化ではないか。建築家という存在そのものに不信感を持っているのである。建築は機能的であればそれでいい。その建築が美しいか、醜いか、その中間か、そんなことは機能的につくられる建築の単なる結果であるに過ぎないのである。あるいはその機能的につくられた建築の付け足しの外装に過ぎないのである。美しいかどうかではなくていいかに機能的かどうか、建築なんて精々そのように評価されるものでしかない。「華美な建築はいらない」。私たちが建築を設計しようとする時に必ず念を押される言葉である。

邑楽町での出来事の根底にはそうした意識が潜んでいたと思う。建築家の自由にはさせない。邑楽町の経緯のその後、私がコンペ、あるいはプロポーザルに勝って設計者に選ばれながら、その後に首長が代わって、その仕事から追放されるということが続いた。小田原市の市民ホール（二〇〇九年）、そしてつい最近天草市の市庁舎の設計（二〇一五年）からも追放されようとしている。小田原市の場合は実施設計がすべて終わって工事会社を決めようとするその寸前だった。邑楽町のケースと同じである。反対派の急先鋒は演劇関係の人びとだった。ある劇団の人びとを中心とする演劇専門家たちはこの市民ホールが演劇専門館として欠陥建築であると批判したのである。しかし、もともとこのホールは演劇専門館として設計を求められたわけではなかった。多目的ホールであることを条件として設計コンペが実施されたのである。私たちは小田原市の人びとが自由に使うことができるホールを提案した。プロレスの興行にも使えるし、サーカスにも使える。勿論、演劇空間としても、あるいはコンサートのためにも十分な建築的性能を持っている。そして中学生や子供たちにも使ってもらえるような多目的ホールである。小田原市の市民が自分たちの裁量で使い方を自由に考えることができるようなホールである。それは従来までの標準的な多目的ホールとはまったく違う形のホールだった。彼ら演劇の専門家たちはそれが気にいらない。ガラス張りの外観がこの小田原に相応しくない。内部の曲線の壁が演劇空間として適切ではない。法規違反をしている（していない）。神聖な演劇空間にプロレスとは何事か。サーカスとは何事か。演劇を愚弄するな。

劇作家は次のように批判した。「多目的ホールという発想は貧弱です。必ず無目的ホールに堕落します」、「ちなみに、私たち『こまつ座』は、機関紙『ｔｈｅ座』のために、世界中の劇場を取材しました。平面図、設計図、運営方針などすべて。全世界の１０００の劇場に連絡取材、そして資料を取り寄せ、支配人にアンケートをした資料があり、日本で一番、劇場にくわしいと思います。世界のいい劇場はみんな、一見平凡な型をしています（そこに劇場の本質があります）。へんてこりんでいいのは演目（だしもの）だけです」（井上ひさし「何故、この場所に今つくるのか（歴史への参加）」、『神静民報』二〇〇七年四月二九日）。へんてこりんなもの（今までにない新しいもの）をつくる資格があるのは演劇について考える人だけである。知は〝考える人〟の側にある。それを執行するもの（建築をつくるもの）はその〝知〟に従うべきである。実際には世界の劇場はその地域社会に見合うようにそれぞれに個性的である。決して平凡でもないし、標準的でもない。ここには建築に限らず、ものをつくる人びとに対する密かな差別がある。〝考える人〟がいる。その考えに従って〝ものをつくる人〟がいるという、「知と行為のプラトン的分離」（アレント『人間の条件』三五四頁）である。知は行為に先行する。知に従って、知の命ずるようにつくる。〝つくる人〟は〝考える人〟ではない。考える必要を認めない。知に従属すべき人びとである。そうした考え方が〝ものをつくる人〟に対するほんの少しの差別を生んでいるのである。多くの〝ものをつくる人〟たちは、「馬鹿」でも「山師」でもない限り、そうしたほんの少しの差別を、常に、ほんのわずかに感じ取っているのである。差別する側はほとんど気付かない程度の差別である。本人が気付かないほどのその差別が、実は、今の官僚制的な統治システムを許しているのである。

「知を命令＝支配と同一視し、活動を服従＝執行と同一視した」（同書、三五五頁）。それが既に述べたように官僚制的支配の根拠であった。官僚制的支配とは〝物化〟のプロセスの支配なのである。

〝ものをつくる人〟の支配なのである。

〝ものをつくる人〟に対するほんの少しの差別は、官僚制的統治と同じ考え方を受け入れているのである。「知と行為の分離」を受け入れている。「知は行為に先行する」という支配の理論を無意識に受け入れているのである。「官僚機構にとらわれてしまった人間はもうすでに有罪なのだ」（アーレント「フランツ・カフカ再評価」九九頁）。その無意識がすでに有罪なのである。

ものをつくる私たちもまた〝考える人〟なのである。ものをつくる現場こそが知の生まれる現場なのである。知は行為に先行しない。ものをつくる行為は服従ではない。ものをつくる行為に先だって知があるわけではない。

今から二〇年ほども前、デンマークのオーフスという都市にある大学で講演をした。オーフスにはアルネ・ヤコブセン設計の市庁舎がある。一九四一年につくられた作品である。その市庁舎を学生に案内してもらった。見事なディテールの建築だった。美しい建築だと思った。私が建築を見に来ていることに気付いたのか、階段の手すりを磨いていた中年の女性がその手を休めて近づいてきた。この建築は好きか、と私に尋ねたのである。ヤコブセンがつくった建築だということを知っているか。ヤコブセンのこの建築が大好きなのだという。市庁舎の清掃係の人かと思ったけれど、そうではなくてこの市庁舎の近くに住んでいる人だったのである。気が向くとこの建築を磨きにきているのだという。ヤコブセンの設計した建築はヤコブセンの作品であると共に地域社会の人たちの作品なのである。

「ともかく形をもち、見られる物はすべて、美しいか、醜いか、その中間であるか、このいずれかにならざるをえない。あるところのものはすべて現われなければならず、それ自身の形をもたないで現われることのできるものはなに一つない。それゆえにある点でその機能的効用を超越しない物はなく、その超越、つまり、その美あるいは醜さは、公的に現われること、見られることと同じである」(『人間の条件』二七一―二七二頁)。美しい建築はその周辺環境と共に美しい。地域社会の中でその地域社会に住む人々と共に美しい建築なのである。美しい建築とは、これからやってくる住人のために、いつまでもそこにあってほしいと地域社会の人々が思うような建築である。

建築は官僚制的な命令に従ってつくられるものではない。利権集団の命令に従ってつくられるものではない。選挙専制主義者の命令に従ってつくられるものではない。

建築は地域社会の人々が自らの意志（権力）によって自らを現存化（actualize）させるためにある。現存化とは「自分をはっきりと際立たせ」（同書、三三四頁）るという意味であった。自分たちの地域社会をはっきりと際立たせるためである。建築はその地域社会の「外面の現われ（appearance）」なのである。建築は建築家の〝作品〟であると同時に、地域社会に住む人々の〝作品〟なのである。〝作品〟であるためには地域社会の人々によって、それが自らの〝作品〟として承認されなくてはならないのである。「その判断は、人間の主観的欲求によってのみ行なわれるのではなく、それが自分の場所を見つけ、存続し、見られ、使用される世界の客観的標準によっても行なわれるのである」（同書、二七二頁）。つまり「世界の物」（そこに存在し続けるという物）として承認されなくてはならない。専門家（建築家）の主体性、そしてその地域に住む人々が共有する権力が〝作品〟をつくるのである。〝作品〟であることが官僚制的権力あるいは利権集団の権力にとって「単なる政治上の敵よりも大きな脅威となる」（アーレント『全体主義の起原3』六〇頁）のはそのためである。

建築は単に建築家の主体性によってのみつくられるわけではない。地域社会の人々によって承認されることによってつくられるのである。だからこそ長い時間に耐えてそこに存在しつづけることができるのである。地域社会の人々によって、地域社会を現存化させるものとしてそこに存在し続けることができるのである。

アレントほど「世界をつくる物」について深く考えた人はいない。人工物によってできている「世界」について深く考えた人はいない。「世界」は自由と平等の舞台であることをアレントはよく知っていたのである。建築家はその「世界の物」をつくらなくてはならない。でも近代の建築家たちはその期待に十分に応えてはこなかった。建築は誰にとっても役に立つような、単なる機能だと考えたからである。何をもって機能的と判断するのか、誰にとってもというときのその誰とは何者か、それは官僚機構の内側で決められる。機能的な建築は、必ずしも地域社会の人々を必要としないのである。地域社会の人々のためではなく、「機能的であれ」という支配の理論に迎合してきたのは建築家たち自身だったのである。ただ単に機能的でしかない建築が建築家の作品になることは決してない。建築家の作品であることに抵抗感があるのはそのためである。

本書の基となった岩波書店の雑誌『思想』誌上で「個人と国家の〈間〉を設計せよ」の連載を快諾してくれたのは当時編集長だった互盛央さんである。二〇一四年の一月から九月にかけて計五回の連載だった（一～三月号、七月号、九月号）。横浜国大で私のスタジオの大学院生のために退任の二年程前からスタジオ・ブログを書きはじめていた。その内容が連載の下敷きになっている。アレントの著作には常に具体的な空間が背景にある。彼女は今の社会の矛盾をその矛盾の根幹から説明しようとしているのである。根幹という意味は〝空間的に〟という意味である。「世界という空間」の側からという意味である。それを学生たちに伝えたいと思った。建築という空間と共にアレントの思想を伝えたいと思ったのである。それは私自身が具体的な集落「世界という空間」をこの眼で見て、そして「社会という空間」の中で住宅を設計し、公共建築を設計するという矛盾の中で否応なく身につけた思想（端末の思想）と私の中で反応しあって、どこまでがアレントの思想なのか分からなくなった。

今の日本は多くの私たちが考えているよりももっと厳密に管理された官僚制国家である。そうとは気づかないほどに、非常に巧みにそして緻密に官僚制的に統治されている。その統治技術の中心が〝物化〟のプロセスを支配することなのである。その〝物化〟のプロセスから遠ざけられている私たちは、だから、その統治の実感がないのである。インフラを設計し、建築を設計し、そして〝物化〟の中心にいつもいなくてはならないのは地域社会の住人たちなのである。私たち（地域社会の住人）はその設計に参加する権利がある。それ以上に義務がある。官僚制的権力から独立した私たち（専門家）のイニシアティヴ（『全体主義の起原3』六〇頁）は地域社会の住人のためにあるのである。「個人と国家の〈あいだ〉を設計せよ」——設計するのは官僚機構ではなく地域社会の住人である。それは地域社会の住人の権利であり義務なのである。

いつもぎりぎりまで互さんには原稿を待ってもらった。何度も校正しなおした。編集する側からは、それがいかに大変だったか、後から互さんに聞いた。本当に辛抱強くつきあっていただいてありがとうございました。私の事務所のスタッフの高橋玄と佐藤知に図版の整理をしてもらった。二人が最初の読者だった。どうだ面白いだろう、うんと言わせた。二人ともどうもありがとうございました。

山本理顕

二〇一五年二月

権力《けんりょく》の空間《くうかん》／空間《くうかん》の権力《けんりょく》

個人《こじん》と国家《こっか》の〈あいだ〉を設計《せっけい》せよ

二〇一五年　四月一〇日　第一刷発行
二〇二三年　九月一一日　第五刷発行

著者　山《やま》本《もと》理《り》顕《けん》

発行者　髙橋明男
発行所　株式会社　講談社
東京都文京区音羽二丁目一二―二一　〒一一二―八〇〇一
電話（編集）〇三―五三九五―三五一二
（販売）〇三―五三九五―五八一七
（業務）〇三―五三九五―三六一五
装幀者　奥定泰之
本文データ制作　講談社デジタル製作
本文印刷　信毎書籍印刷　株式会社
カバー・表紙印刷　半七写真印刷工業　株式会社
製本所　大口製本印刷　株式会社

KODANSHA

ISBN978-4-06-258600-9　Printed in Japan　N.D.C.362　262p　19cm

講談社選書メチエ　刊行の辞

書物からまったく離れて生きるのはむずかしいことです。百年ばかり昔、アンドレ・ジッドは自分にむかって「すべての書物を捨てるべし」と命じながら、パリからアフリカへ旅立ちました。旅の荷は軽くなかったようです。ひそかに書物をたずさえていたからでした。ジッドのように意地を張らず、書物とともに世界を旅して、いらなくなったら捨てていけばいいのではないでしょうか。

現代は、星の数ほどにも本の書き手が見あたります。読み手と書き手がこれほど近づきあっている時代はありません。きのうの読者が、一夜あければ著者となって、あらたな読者にめぐりあう。その読者のなかから、またあらたな著者が生まれるのです。この循環の過程で読書の質も変わっていきます。人は書き手になることで熟練の読み手になるものです。

選書メチエはこのような時代にふさわしい書物の刊行をめざしています。

フランス語でメチエは、経験によって身につく技術のことをいいます。道具を駆使しておこなう仕事のことでもあります。また、生活と直接に結びついた専門的な技能を指すこともあります。

いま地球の環境はますます複雑な変化を見せ、予測困難な状況が刻々あらわれています。

そのなかで、読者それぞれの「メチエ」を活かす一助として、本選書が役立つことを願っています。

一九九四年二月　　野間佐和子